6 학년이 꼭 ✓ 알아야 한

도형

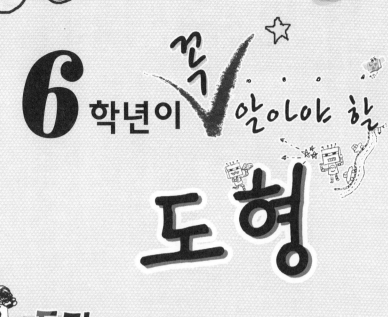

6학년이 꼭 ✓ 알아야 할 도형

특징

1 2학년부터 6학년까지 각 학년별 한 권씩(총 5권)으로 구성되어 있습니다.

2 도형에 대한 개념을 이해하고 다양한 문제를 통해 자신감을 얻도록 하였습니다.

3 자학자습용으로 뿐만 아니라 학원에서 특강용으로 활용할 수 있도록 하였습니다.

구성

 개념 확인 각 단원에서 꼭 알아야 할 기본적인 개념과 원리를 요약 정리하였습니다.

개념 익히기 도형의 기본 개념과 원리를 확인하고 다질 수 있도록 하였습니다.

동메달 따기 도형의 기본 원리를 적용하여 문제 해결을 함으로써, 자신감을 갖도록 하였습니다.

은메달 따기 동메달 따기에서 얻은 자신감을 바탕으로 좀 더 향상된 문제해결력을 지닐 수 있도록 하였습니다.

금메달 따기 다소 발전적인 문제로 구성되어, 도전의식을 가지고 문제를 해결해 보도록 하였습니다.

Contents

1   각기둥과 각뿔 ··· 4

2   직육면체의 부피와 들이 ································· 14

3   직육면체의 겉넓이 ··· 24

4   쌓기나무 ··· 34

5   원의 둘레와 넓이 ··· 44

중간 평가 ································· 54

6 원기둥, 원뿔, 구 ················· 58

7 원기둥의 겉넓이와 부피 ················· 68

8 도형의 직선 이동 ················· 78

9 도형의 회전 이동 ················· 88

10 경우의 수 ················· 98

총괄 평가 ················· 108

1. 각기둥과 각뿔

개념 확인

1. 입체도형

오른쪽 그림과 같은 도형을 입체도형이라고 합니다.

2. 각기둥

오른쪽 그림과 같이 위와 아래에 있는 면이 서로 평행하고 합동인 다각형
으로 이루어진 입체도형을 각기둥이라고 합니다.

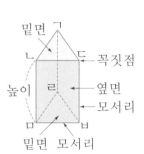

- 오른쪽 그림의 면 ㄱㄴㄷ과 면 ㄹㅁㅂ과 같이 서로 평행한 두 면을 밑면
  이라고 합니다.
- 오른쪽 그림과 같이 밑면에 수직인 면을 옆면이라고 합니다.
- 면과 면이 만나는 선분을 모서리라 하고, 모서리와 모서리가 만나는 점
  을 꼭짓점이라고 하며, 두 밑면 사이의 거리를 높이라고 합니다.
- 각기둥은 밑면의 모양에 따라 삼각기둥, 사각기둥, 오각기둥, …… 이라고 합니다.

3. 각뿔

오른쪽 그림과 같이 밑면이 다각형이고, 옆면이 모두 삼각형인
입체도형을 각뿔이라고 합니다.

- 각뿔에서 면 ㄴㄷㄹㅁ과 같은 면을 밑면이라 하고, 밑면과 만
  나는 면을 옆면이라고 합니다.
- 면과 면이 만나는 선분을 모서리라 하고, 모서리와 모서리가
  만나는 점을 꼭짓점이라고 합니다.
- 옆면을 이루는 모든 삼각형의 공통인 꼭짓점을 각뿔의 꼭짓점이라고 합니다.
- 각뿔의 꼭짓점에서 밑면에 수직인 선분의 길이를 높이라고 합니다.
- 각뿔은 밑면의 모양에 따라 삼각뿔, 사각뿔, 오각뿔, …… 이라고 합니다.

4. 전개도

입체도형의 모서리를 잘라서 펼쳐 놓은 그림을 입체도형의 전개도라고 합니다.

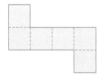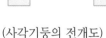

(사각기둥의 전개도)   (사각뿔의 전개도)

개념 익히기

1 각기둥의 각 부분의 이름을 □ 안에 알맞게 써넣으시오.

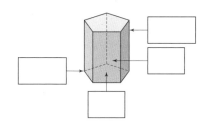

2 어떤 입체도형에 대한 설명입니까?

> • 두 밑면은 서로 평행하고 합동인 육각형입니다.
> • 옆면은 모두 직사각형이고 밑면과 수직입니다.

(   )

3 각기둥에 대한 설명으로 바른 것은 어느 것입니까? (   )

① 모든 각기둥의 밑면은 직사각형입니다.
② 삼각기둥의 옆면은 모두 삼각형입니다.
③ 칠각기둥의 모서리의 수는 14개입니다.
④ 팔각기둥의 면의 수는 10개입니다.
⑤ 면의 수가 9개인 각기둥은 십각기둥입니다.

4 모서리의 수가 39개인 각기둥의 면의 수를 구하시오.

(   )

5 오른쪽 입체도형을 보고 물음에 답하시오.

(1) 밑면은 몇 개입니까?

(   )

(2) 옆면은 몇 개입니까?

(   )

(3) 입체도형의 이름을 쓰시오.

(   )

6 밑면의 모양이 오른쪽 그림과 같은 각뿔의 이름을 쓰시오.

(   )

7 칠각뿔의 모서리의 수와 면의 수의 합을 구하시오.

(   )

8 전개도를 접었을 때, 만들어지는 입체도형의 이름을 쓰시오.

(1) 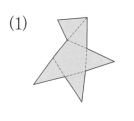   (2)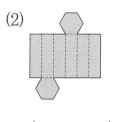

(   )   (   )

1 모서리의 수가 가장 많은 입체도형부터 차례로 기호를 쓰시오.

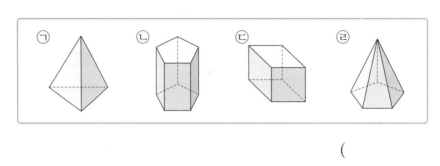

(   )

2 빈칸에 알맞은 수나 말을 써넣으시오.

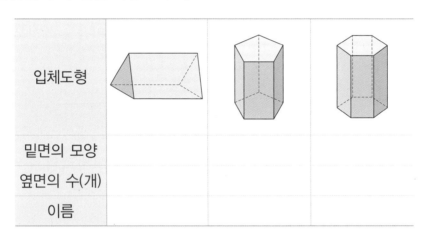

입체도형			
밑면의 모양			
옆면의 수(개)			
이름			

3 십각기둥에 대하여 □ 안에 알맞은 수를 써넣으시오.

(모서리의 수)−(꼭짓점의 수)＋(면의 수)＝□(개)

4 각기둥의 면의 수, 꼭짓점의 수, 모서리의 수 사이의 관계를 나타낸 것입니다.
□ 안에 알맞은 수를 써넣으시오.

(1) (면의 수)＝(옆면의 수)＋□

(2) (꼭짓점의 수)＋(모서리의 수)＝(한 밑면의 변의 수)×□

(3) (모서리의 수)×2＝(꼭짓점의 수)×□

5 입체도형을 보고 빈칸에 알맞은 수나 말을 써넣으시오.

(1) 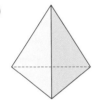　　(2) 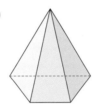　　(3)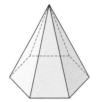

	각뿔의 이름	밑면의 변의 수(개)	면의 수 (개)	모서리의 수(개)	꼭짓점의 수(개)
(1)					
(2)					
(3)					

6 각뿔에 대한 설명으로 <u>틀린</u> 것은 어느 것입니까? (　　　　)

① 옆면은 모두 삼각형입니다.
② 삼각뿔의 면의 수는 4개입니다.
③ 각뿔의 꼭짓점은 1개입니다.
④ 사각뿔의 모서리의 수는 8개입니다.
⑤ 오각뿔의 꼭짓점의 수는 10개입니다.

7 어떤 입체도형에 대한 설명입니까?

> • 옆면은 모두 삼각형입니다.
> • 밑면은 팔각형이고, 한 개입니다.
> • 모서리는 16개이고, 꼭짓점은 9개입니다.
> • 면의 수는 9개입니다.

(   )

8 전개도로 만들 수 있는 각기둥의 이름을 쓰시오.

(1)
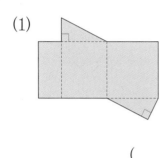

(   )

(2)
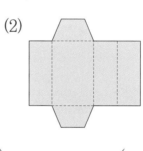

(   )

9 사각기둥과 그 전개도를 그린 것입니다. ☐ 안에 알맞은 수를 써넣으시오.

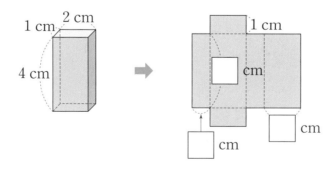

10 오른쪽 각기둥의 전개도에서 선분 ㅍㅌ과 맞닿는 선분을 찾아 쓰시오.

(   )

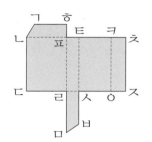

11 사각기둥의 전개도에서 ( ) 안에 꼭짓점의 기호를 알맞게 써넣으시오.

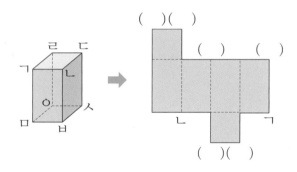

12 삼각뿔의 전개도로 바른 것은 어느 것입니까? (   )

① 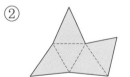   ②   ③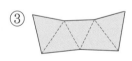

④ 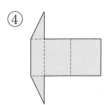   ⑤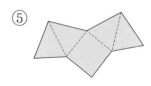

1 면의 수가 10개이고 모서리의 길이가 모두 같은 각기둥이 있습니다. 한 모서리의 길이가 8 cm일 때, 이 각기둥의 모든 모서리의 길이의 합은 몇 cm입니까?

(   )

2 면을 한 개 더 그려 넣어 오른쪽 사각뿔의 전개도를 완성하려고 합니다. 전개도를 몇 가지 그릴 수 있습니까?

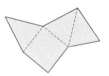

(   )

3 오른쪽 그림은 옆면의 모양이 이등변삼각형인 왼쪽 사각뿔의 전개도입니다. 전개도의 둘레를 재어 보았더니 42 cm였습니다. ㉠은 몇 cm입니까?

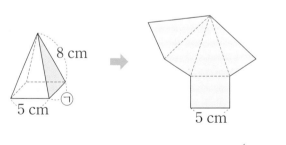

(   )

4 밑면의 모양은 정팔각형이고, 높이는 16 cm인 각기둥이 있습니다. 이 각기둥의 모든 모서리의 길이의 합이 336 cm라면 밑면의 한 변의 길이는 몇 cm입니까?

( )

5 한 밑면의 둘레가 56 cm이고 전체 모서리의 길이의 합이 160 cm인 팔각기둥이 있습니다. 이 팔각기둥의 높이는 몇 cm입니까?

( )

6 밑면의 모양이 같은 각기둥과 각뿔이 있습니다. 각기둥과 각뿔의 면의 수의 합이 27개라고 할 때 각기둥과 각뿔의 모서리의 수의 합은 몇 개입니까?

( )

금메달따기

생각의 샘

1 다음 오각기둥의 전개도를 접었을 때 오각기둥의 점 B가 되는 점을 전개도에서 모두 찾아 기호를 쓰시오.

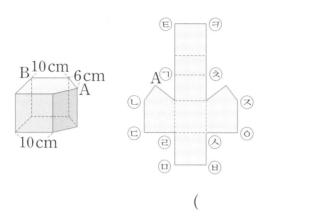

전개도를 접었을 때, 맞닿는 점을 찾아 보세요.

(   )

2 [그림 1]은 사각기둥의 꼭짓점 A로부터 모서리 CD 위의 점 P, 꼭짓점 G, 모서리 EF위의 점 Q를 지나 꼭짓점 A에 오도록 가장 짧게 실을 감은 것을 나타내고 있습니다. [그림 2]에 실이 지나간 자리를 나타내시오.

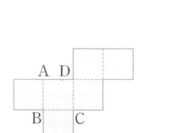

[그림 1]   [그림 2]

먼저 전개도에 꼭짓점의 기호를 써넣어 봅니다.

3 입체도형 ㈎와 ㈏는 모두 각기둥입니다. 다음 설명을 읽고, 각 입체도형의 이름을 쓰시오.

> - ㈎의 꼭짓점의 수와 ㈏의 모서리의 수의 차는 8개입니다.
> - ㈎와 ㈏의 모서리의 수의 합은 42개입니다.

㈎ (   ), ㈏ (   )

각기둥에서
(꼭짓점의 수)
＝ (한 밑면의 변의 수)×2
(모서리의 수)
＝ (한 밑면의 변의 수)×3

4 그림과 같이 밑면이 정삼각형인 삼각기둥을 하나씩 한 줄로 붙여 새로운 각기둥을 만들어 나갈 때 일곱 번째에 생긴 각기둥의 이름과 모서리의 길이의 합을 구하시오.

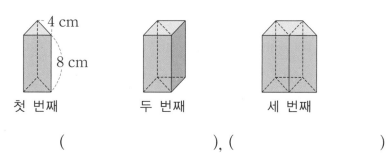

첫 번째   두 번째   세 번째

(   ), (   )

각기둥의 이름은 밑면의 모양에 따라 결정됩니다.

5 둘레가 가장 길도록 오른쪽 입체도형의 전개도를 그릴 때, 그 전개도의 둘레는 몇 cm입니까?

(   )

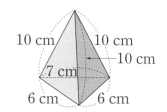

전개도의 둘레가 가장 길려면 길이가 가장 긴 모서리의 길이를 잘라야 합니다.

6 다음은 사각기둥을 세 방향에서 본 것입니다. 사각기둥의 전개도의 둘레가 가장 길 때는 몇 cm입니까?

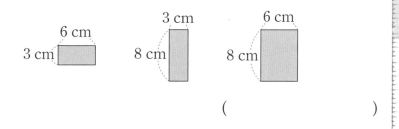

(   )

세 방향에서 본 모양을 이용하여 사각기둥을 그린 후 생각해 봅니다.

2. 직육면체의 부피와 들이

1. 부피의 단위

(1) 입체도형의 부피를 나타내기 위하여 한 모서리의 길이가 1 cm인 정육면체의 부피를 단위로 사용합니다. 이 정육면체의 부피를 1 cm^3라 하고, 1 세제곱센티미터라고 읽습니다.

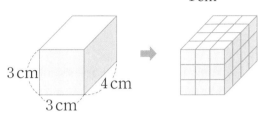

(2) 주어진 직육면체 모양을 만들려면 한 모서리의 길이가 1 cm인 정육면체 모양의 쌓기나무를 가로로 3줄, 세로로 4줄, 높이 3층만큼 쌓아서 모두 36개의 쌓기나무가 사용됩니다. 따라서 1 cm³가 36개이므로 주어진 직육면체 모양의 부피는 36 cm³입니다.

2. 직육면체와 정육면체의 부피

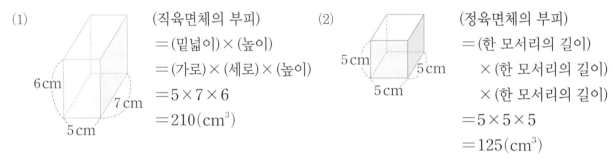

(1) (직육면체의 부피)
   = (밑넓이) × (높이)
   = (가로) × (세로) × (높이)
   = 5 × 7 × 6
   = 210(cm³)

(2) (정육면체의 부피)
   = (한 모서리의 길이)
     × (한 모서리의 길이)
     × (한 모서리의 길이)
   = 5 × 5 × 5
   = 125(cm³)

3. 부피의 큰 단위

(1) 큰 상자의 부피를 나타내기 위하여 한 모서리의 길이가 1 m인 정육면체의 부피를 단위로 사용합니다. 이 정육면체의 부피를 1 m^3라 하고, 1 세제곱미터라고 읽습니다.

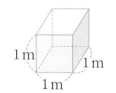

(2)

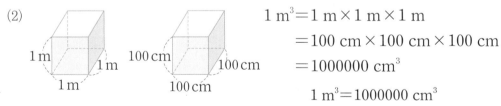

1 m³ = 1 m × 1 m × 1 m
    = 100 cm × 100 cm × 100 cm
    = 1000000 cm³

1 m³ = 1000000 cm³

4. 들이와 부피

(1) 물건의 들이를 나타내기 위하여 안치수의 가로, 세로, 높이가 각각 10 cm인 단위를 사용합니다. 이 그릇의 들이를 1 L라 하고, 1 리터라고 읽습니다.

1 L = 1000 cm³

(2) 작은 들이 단위를 나타내기 위하여 안치수의 가로, 세로, 높이가 각각 1 cm인 단위를 사용합니다. 이 그릇의 들이를 1 mL라 하고, 1 밀리리터라고 읽습니다.

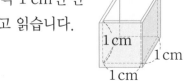

1 mL = 1 cm³

개념 익히기

1 오른쪽 직육면체에서 쌓기나무 1개의 부피가 1 cm³일 때, 부피를 구하시오.

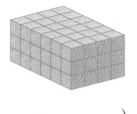

(   )

2 가 상자에 정육면체 모양인 나 상자를 넣으려고 합니다. 나 상자를 몇 개까지 넣을 수 있습니까? (단, 상자의 두께는 생각하지 않습니다.)

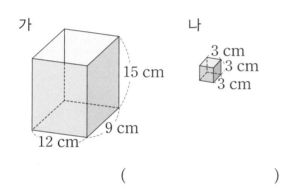

가

나

15 cm
12 cm   9 cm

3 cm
3 cm
3 cm

(   )

3 입체도형의 부피는 몇 cm³입니까?

(1)

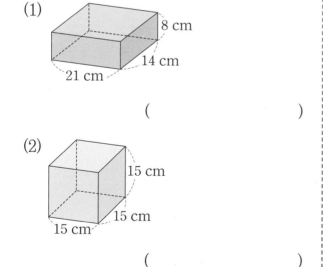

8 cm
14 cm
21 cm

(   )

(2)

15 cm
15 cm
15 cm

(   )

4 ☐ 안에 알맞은 수를 써넣으시오.

(1) 7 m³ = ☐ cm³

(2) 12000000 cm³ = ☐ m³

(3) 4800 cm³ = ☐ L

(4) 376 cm³ = ☐ mL

5 직육면체의 부피를 구하시오.

(1)

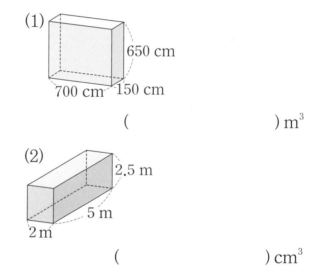

650 cm
700 cm   150 cm

(   ) m³

(2)

2.5 m
5 m
2 m

(   ) cm³

6 안치수가 다음과 같은 그릇의 들이는 몇 mL입니까?

(1)

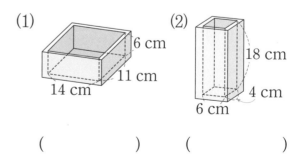

6 cm
11 cm
14 cm

(2)

18 cm
4 cm
6 cm

(   ) (   )

동메달 따기

1 쌓기나무 한 개의 부피가 1 cm³일 때 직육면체의 부피를 구하시오.

가   나

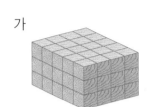

도형	가	나
쌓기나무 개수(개)		
부피(cm³)		

2 한 모서리가 1 cm인 정육면체 모양의 쌓기나무를 사용하여 직육면체 모양을 만들었습니다. 직육면체의 부피는 몇 cm³입니까?

(   )

3 가로, 세로, 높이가 각각 4 cm, 10 cm, 12 cm인 직육면체 모양의 상자 속에 정육면체 모양의 쌓기나무를 쌓으려고 합니다. 물음에 답하시오. (단, 상자의 두께는 생각하지 않습니다.)

(1) 한 모서리가 1 cm인 정육면체 모양의 쌓기나무는 모두 몇 개가 필요합니까?

(   )

(2) 쌓기나무를 가득 채운 상자의 부피는 몇 cm³입니까?

(   )

4 직육면체의 부피를 구하시오.

(1)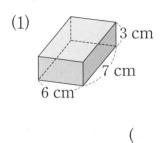
3 cm
7 cm
6 cm

(   )

(2)
6 cm
5 cm
3 cm

(   )

5 한 밑면의 넓이와 높이가 주어진 직육면체의 부피를 구하시오.

(1)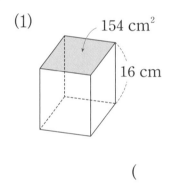
154 cm^2
16 cm

(   )

(2)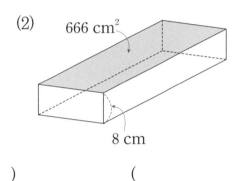
666 cm^2
8 cm

(   )

6 부피가 가장 큰 것을 찾아 기호를 쓰시오.

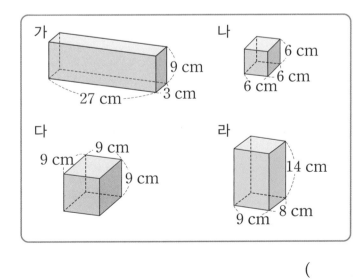

가
9 cm
27 cm
3 cm

나
6 cm
6 cm
6 cm

다
9 cm
9 cm
9 cm

라
14 cm
9 cm
8 cm

(   )

7 □ 안에 알맞은 수를 써넣으시오.

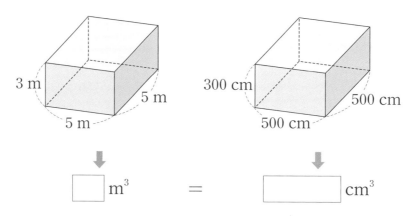

□ m³ = □ cm³

8 오른쪽 정육면체의 부피를 구하시오.

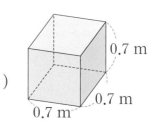

(1) 부피는 몇 m³입니까?

( )

(2) 부피는 몇 cm³입니까?

( )

9 부피를 구하여 □ 안에 알맞은 수를 써넣으시오.

(1)

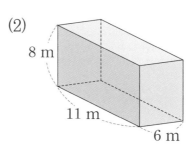

□ m³

(2)

□ cm³

10 ☐ 안에 알맞은 수를 써넣으시오.

(1) $3 \text{ L} = $ ☐ cm^3

(2) $4.2 \text{ mL} = $ ☐ cm^3

(3) $8000 \text{ mL} = $ ☐ L

(4) $9.5 \text{ L} = $ ☐ mL

11 안치수가 다음과 같은 그릇의 들이는 몇 L 입니까?

(1)
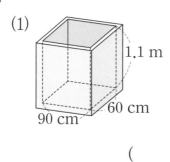

(2)
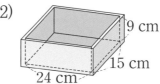

(   )   (   )

12 오른쪽 그림과 같이 안치수가 가로 24 cm, 세로 15 cm인 직육면체 모양의 물통에 물 9 L를 부으면 물의 높이는 몇 cm입니까?

(   )

1 다음 입체도형의 부피를 구하시오.

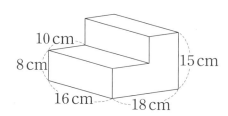

(   )

2 다음 입체도형의 부피를 구하시오.

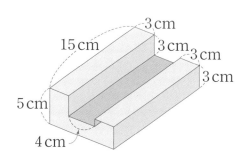

(   )

3 다음 전개도를 접어서 만든 삼각기둥의 부피를 구하시오.

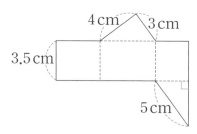

(   )

4 안치수가 다음과 같은 물이 든 그릇에 돌을 넣었더니 물의 높이가 2 cm만큼 늘어났습니다. 돌의 부피는 몇 cm³인지 구하시오.

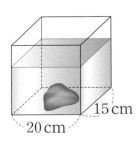

(   )

5 다음 입체도형은 큰 직육면체에서 작은 삼각기둥을 **뺀** 모양입니다. 입체도형의 부피를 구하시오.

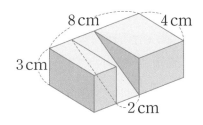

(   )

6 다음 사각기둥의 부피를 구하시오.

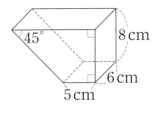

(   )

금메달 따기

1 오른쪽 그림과 같은 종이에서 4개의 정 사각형을 오려 낸 후 점선 부분을 접어 상자를 만들었습니다. 상자의 들이는 몇 L입니까?

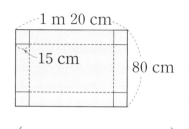

1 m 20 cm

15 cm

80 cm

(   )

먼저 만든 상자의 가로, 세로, 높이를 각각 알아봅니다.

2 안치수가 오른쪽 그림과 같은 직육면체 모양의 수조에 물이 들어 있습니다. 이 수조에 거북이 모양의 모형을 물에 완전히 잠기도록 넣었더니 물의 높이가 25 cm만큼 높아졌습니다. 거북이 모양의 모형의 부피는 몇 m^3입니까?

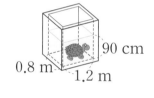

90 cm

0.8 m

1.2 m

(   )

거북이 모양의 모형의 부피는 늘어난 물의 부피와 같습니다.

3 오른쪽은 직육면체의 가운데 부분을 직육면체 모양으로 두 군데 잘라낸 것입니다. 오른쪽 입체도형의 부피는 몇 cm^3입니까?

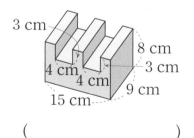

3 cm

8 cm

3 cm

4 cm

4 cm

9 cm

15 cm

(   )

(입체도형의 부피)
=(전체 직육면체의 부피)
－(잘라낸 직육면체의 부피)

4 오른쪽 그림과 같이 물이 가득 들어 있던 직육면체 모양의 물통을 기울였더니 120 cm³의 물이 쏟아졌습니다. 선분 ㄱㄴ의 길이는 몇 cm입니까?

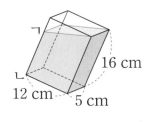

(   )

5 오른쪽 그림과 같이 밀폐된 삼각기둥 모양의 물 그릇이 있습니다. 물 그릇을 면 ㄱㄹㅂㄷ이 바닥에 닿도록 눕혔을 때, 면 ㄱㄴㄷ에 물이 닿는 부분의 넓이는 몇 cm²입니까?

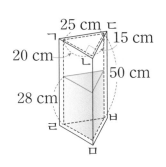

(   )

전체 물의 양은 변화가 없습니다.

6 안치수가 오른쪽과 같은 직육면체 모양의 물통에 높이가 5 cm가 되도록 물을 넣은 다음 밑면은 한 변이 12 cm인 정사각형 모양인 직육면체 모양의 막대를 바닥에 수직으로 닿도록 세워 넣었습니다. 이때 물의 높이는 몇 cm 올라갔습니까?

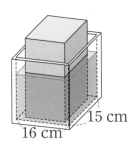

(   )

1. 직육면체의 겉넓이

직육면체의 여섯 면의 넓이의 합을 직육면체의 겉넓이라고 합니다.

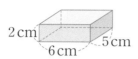

① 여섯 면의 넓이의 합

$(6\times5)+(6\times5)+(6\times2)+(6\times2)+(5\times2)+(5\times2)$
$=30+30+12+12+10+10=104(\mathrm{cm}^2)$

② (한 꼭짓점에서 만나는 세 면의 넓이의 합)×2

$\{(6\times5)+(6\times2)+(5\times2)\}\times2$
$=(30+12+10)\times2=52\times2=104(\mathrm{cm}^2)$

③ (한 밑면의 넓이)×2+(옆면의 넓이) → (밑면의 둘레)×(높이)

$(6\times5)\times2+(6+5+6+5)\times2=60+44=104(\mathrm{cm}^2)$

2. 정육면체의 겉넓이

정육면체의 여섯 면은 모두 합동이므로 겉넓이는 한 면의 넓이를 6배하여 구합니다.

(정육면체의 겉넓이)
$=$(한 면의 넓이)$\times6$
$=(2\times2)\times6=24(\mathrm{cm}^2)$

3. 각기둥의 겉넓이

(한 밑면의 넓이)×2+(옆면의 넓이)로 겉넓이를 구하는 것이 편리합니다.

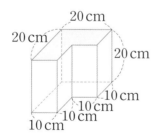

색칠한 부분의 넓이는 $20\times20-10\times10=300(\mathrm{cm}^2)$이고,
색칠한 부분의 둘레는 $20\times4=80(\mathrm{cm})$, 높이는 $20\,\mathrm{cm}$이므로
겉넓이는 $300\times2+80\times20=2200(\mathrm{cm}^2)$입니다.

4. 전개도를 이용하여 직육면체의 겉넓이 구하기

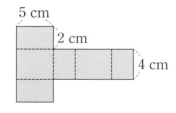

- (한 꼭짓점에서 만나는 세 면의 넓이의 합)×2
$=(5\times2+5\times4+2\times4)\times2=76(\mathrm{cm}^2)$
- (한 밑면의 넓이)×2+(옆면의 넓이)
$=5\times2\times2+(5+2+5+2)\times4=76(\mathrm{cm}^2)$

1 직육면체의 겉넓이를 구하려고 합니다. □ 안에 알맞은 수를 써넣으시오.

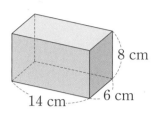

$$(14 \times 6 + \boxed{} \times 8 + 6 \times 8) \times 2$$
$$= (\boxed{} + \boxed{} + \boxed{}) \times 2$$
$$= \boxed{} \ (\text{cm}^2)$$

2 정육면체를 보고 물음에 답하시오.

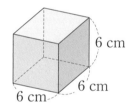

(1) 한 면의 넓이는 몇 cm²입니까?

(   )

(2) 정육면체의 겉넓이는 몇 cm²입니까?

(   )

3 가로가 8 cm, 세로가 2 cm, 높이가 5 cm인 직육면체의 겉넓이는 몇 cm²입니까?

(   )

4 직육면체의 전개도를 보고 물음에 답하시오.

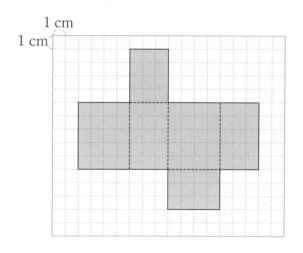

(1) 합동인 3쌍의 직사각형의 넓이를 이용하여 겉넓이를 구하시오.

$$(3 \times 4 + 4 \times \boxed{} + \boxed{} \times 5) \times 2$$
$$= \boxed{} \ (\text{cm}^2)$$

(2) 한 밑면의 넓이와 옆면의 넓이를 이용하여 겉넓이를 구하시오.

$$\boxed{} \times 2 + (4 + \boxed{} + \boxed{} + 3) \times \boxed{}$$
$$= \boxed{} \ (\text{cm}^2)$$

5 정육면체의 전개도를 보고 겉넓이를 구하시오.

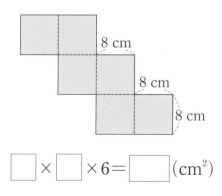

$$\boxed{} \times \boxed{} \times 6 = \boxed{} \ (\text{cm}^2)$$

1 다음 직육면체의 겉넓이를 구하시오.

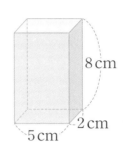

8 cm
2 cm
5 cm

(   )

2 다음 정육면체의 겉넓이를 구하시오.

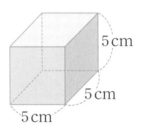

5 cm
5 cm
5 cm

(   )

3 다음 직육면체의 색칠한 밑면의 둘레는 16 cm입니다. 겉넓이를 구하시오.

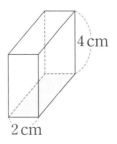

4 cm
2 cm

(   )

4 다음 정육면체의 겉넓이는 384 cm²입니다. 이 정육면체의 한 모서리의 길이를 구하시오.

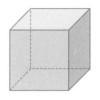

(   )

5 다음 육각기둥의 한 밑면의 둘레는 18 cm입니다. 옆면의 넓이를 구하시오.

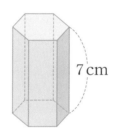

7 cm

(   )

6 다음은 한 모서리의 길이가 5 cm인 정육면체 4개를 붙여 만든 입체도형입니다. 겉넓이를 구하시오.

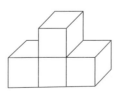

(   )

7 직육면체의 전개도를 보고 겉넓이를 구하시오.

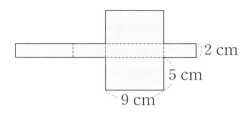

(   )

8 두 직육면체의 겉넓이의 차를 구하시오.

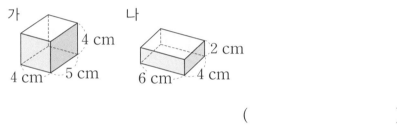

(   )

9 정육면체의 전개도를 보고 겉넓이를 구하시오.

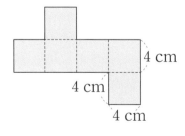

(   )

10 겉넓이가 가장 큰 직육면체부터 차례로 기호를 쓰시오.

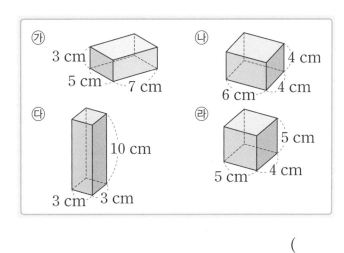

(   )

11 겉넓이가 430 cm²인 직육면체의 밑면의 가로는 15 cm, 세로는 5 cm입니다. 이 직육면체의 높이는 몇 cm입니까?

(   )

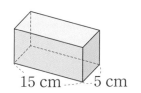

12 직육면체의 겉넓이가 168 cm²일 때, □ 안에 알맞은 수를 써넣으시오.

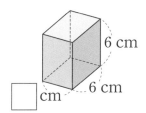

1 다음 삼각기둥의 겉넓이를 구하시오.

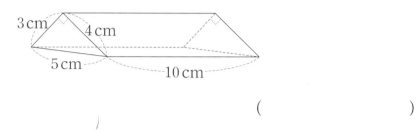

(   )

2 다음은 큰 직육면체에서 작은 직육면체를 잘라내어 만든 입체도형입니다. 이 입체 도형의 겉넓이를 구하시오.

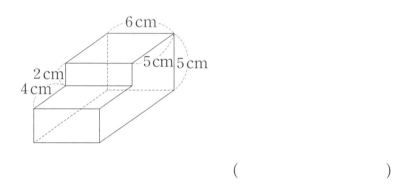

(   )

3 다음 두 직육면체의 겉넓이가 같을 때 □ 안에 알맞은 수를 구하시오.

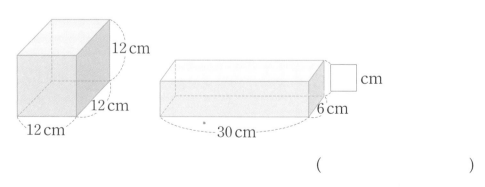

(   )

4 다음 전개도로 만든 직육면체의 겉넓이가 416 cm²일 때, ☐ 안에 알맞은 수를 구하시오.

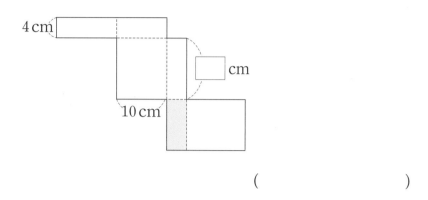

(   )

5 오른쪽 그림과 같은 입체도형의 겉넓이를 구하시오.
(단, 만나는 모서리끼리는 모두 수직입니다.)

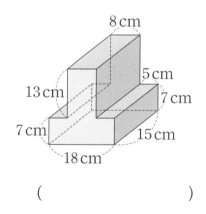

(   )

6 오른쪽 그림과 같은 입체도형의 겉넓이를 구하시오.
(단, 만나는 모서리끼리는 모두 수직입니다.)

(   )

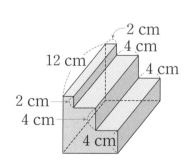

금메달 따기

1 한 모서리가 6 cm인 정육면체를 다음 그림과 같이 포개어 입체도형을 만들었습니다. 만든 입체도형의 겉넓이는 몇 cm²입니까?

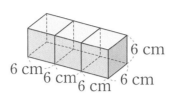

(   )

생각의 샘

정육면체 3개의 겉넓이에서 포개어진 네 면의 넓이를 뺍니다.

2 오른쪽 그림은 겉넓이가 262 cm²이고 밑면의 둘레가 30 cm, 밑면의 넓이가 56 cm²인 직육면체입니다. 이 직육면체의 모든 모서리의 길이의 합을 구하시오.

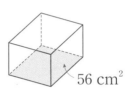

(   )

(모든 모서리의 길이의 합)
=(밑면의 둘레)× 2
  +(높이)× 4

3 전개도에서 가 사각형의 둘레가 16 cm이고 넓이가 15 cm²일 때, 직육면체의 겉넓이를 구하시오.

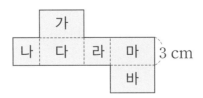

(   )

가 사각형의 넓이는 바 사각형의 넓이와 같습니다.

4 다음 입체도형의 색칠한 부분을 밑면으로 볼 때, 옆면의 넓이는 1376 cm²입니다. □ 안에 알맞은 수를 구하시오.

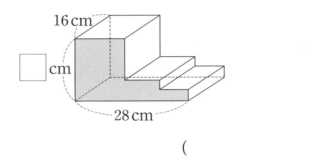

(   )

(옆면의 넓이)
=(밑면의 둘레)
×(높이)

5 가로, 세로, 높이가 각각 10 cm, 10 cm, 15 cm인 직육면체의 모양의 나무 도막에 다음과 같이 밑면이 정사각형인 사각기둥 모양의 구멍을 팠습니다. 이 나무 도막의 겉넓이를 구하시오.

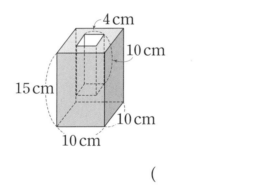

(   )

증가된 넓이를 구하여 더합니다.

6 한 모서리가 3 cm인 정육면체 모양의 쌓기나무를 180개 사용하여 겉넓이가 가장 작은 직육면체를 만들었습니다. 이 직육면체의 겉넓이를 구하시오.

(   )

겉넓이가 가장 작은 직육면체를 만들려면 정육면체에 가깝도록 만들어야 합니다.

개념 확인

1. 쌓은 모양을 보고, 똑같이 쌓아 보기

주어진 모양을 몇 개의 부분으로 나누어 단계적으로 쌓아 봅니다.

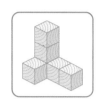

2. 사용된 쌓기나무의 개수 알아보기

(1) 각 층에 사용된 쌓기나무의 개수를 더합니다.

1층 : 4개, 2층 : 3개

➡ $4+3=7$(개)

(2) 바탕 그림의 각 칸에 쌓아올린 쌓기나무의 개수를 더합니다.

①번 자리 : 2개

②번 자리 : 1개

③번 자리 : 3개

➡ $2+1+3=6$(개)

(3) 몇 부분으로 나누어서 각 부분의 개수를 더합니다.

파란색 쌓기나무 : 4개

노란색 쌓기나무 : 2개

➡ $4+2=6$(개)

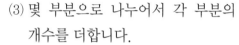

(4) 돌출된 부분을 다른 곳으로 옮겨서 쌓기나무의 개수를 구합니다.

 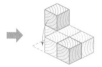

6개

3. 쌓기나무로 만든 것의 위, 앞, 옆에서 본 모양 알아보기

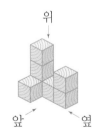

위

앞   옆

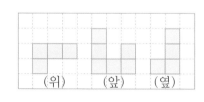

(위)   (앞)   (옆)

4. 규칙을 정하여 쌓기나무로 여러 가지 모양 만들기

전체의 모양은 산 모양이 되게 쌓습니다. 아래부터 차례로 각 층에 사용된 쌓기나무의 개수는 4개, 3개, 2개, 1개로 한 개씩 줄여 엇갈리면서 4층까지 쌓습니다.

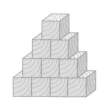

개념 익히기

1 그림과 같은 모양을 만들기 위해서 필요한 쌓기나무의 개수를 구하시오.

(1) 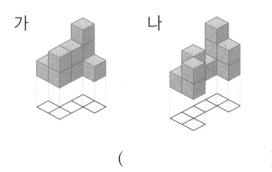　(2)

(　　　　　)　(　　　　　)

2 가와 나 모양 중 사용된 쌓기나무의 개수가 더 많은 것은 어느 것입니까?

가　　　　나

(　　　　　　　　　)

3 오른쪽과 같은 규칙으로 쌓기나무를 쌓을 때, 1층에 사용되는 쌓기나무는 몇 개입니까?

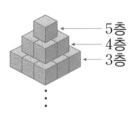

(　　　　　　　　　)

4 오른쪽은 쌓기나무 10개로 만든 모양입니다. 위, 앞, 옆에서 본 모양을 각각 그려 보시오.

위　　　　앞　　　　옆

5 그림에서 □ 안의 숫자는 그 곳에 쌓아 올릴 쌓기나무의 개수입니다. 완성된 모양의 앞, 옆에서 본 모양을 각각 그려 보시오.

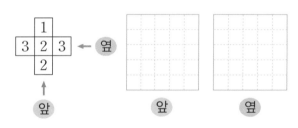

앞　　　　옆

6 위, 앞, 옆에서 본 모양이 다음과 같이 되도록 쌓기나무를 쌓을 때, 쌓기나무는 모두 몇 개 필요합니까?

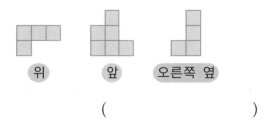

위　　　　앞　　　오른쪽 옆

(　　　　　　　　　)

1 사용된 쌓기나무의 개수를 구하시오.

(1)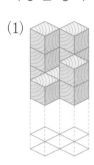

(　　　　　　　)

(2)

(　　　　　　　)

2 한초는 지금 6개의 쌓기나무를 가지고 있습니다. 다음과 같은 모양을 쌓으려면 쌓기나무는 몇 개가 더 필요한지 구하시오.

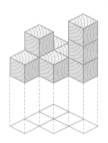

(　　　　　　　)

3 위, 앞, 오른쪽 옆에서 본 모양이 다음과 같이 되도록 쌓기나무를 쌓으려면 몇 개의 쌓기나무가 필요한지 구하시오.

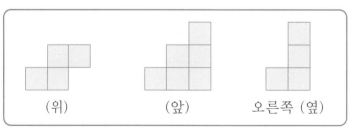

(위)　　　　　　(앞)　　　　오른쪽 (옆)

(　　　　　　　)

4 쌓기나무로 오른쪽과 같은 모양을 만들었습니다. 2층 이상에 놓인 쌓기나무는 모두 몇 개입니까?

(   )

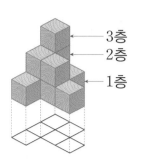

- 3층
- 2층
- 1층

5 사용된 쌓기나무의 개수가 가장 많은 것과 가장 적은 것의 개수의 합을 구하시오.

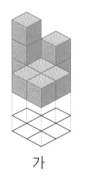   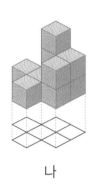   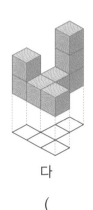

가   나   다

(   )

6 쌓기나무를 규칙에 따라 쌓을 때 네 번째에 올 모양을 만들기 위해서는 쌓기나무가 몇 개 필요한지 구하시오.

?

(   )

7 쌓기나무 8개로 만든 모양입니다. 위에서 본 모양을 찾아 (   ) 안에 ○표 하시오.

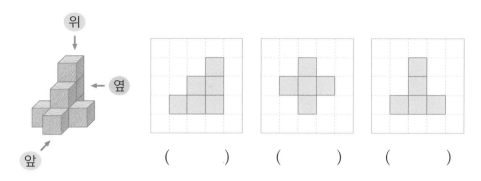

(   )   (   )   (   )

8 쌓기나무 8개로 만든 모양입니다. 위, 앞, 옆에서 본 모양을 각각 그려 보시오.

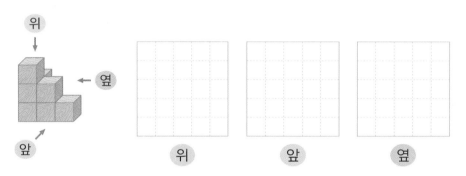

위   앞   옆

9 위, 앞, 오른쪽 옆에서 본 모양이 각각 다음과 같이 되도록 쌓기나무로 만들 때, 필요한 쌓기나무는 모두 몇 개입니까?

(1)

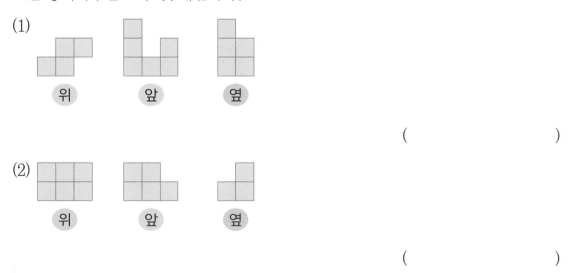

위   앞   옆

(   )

(2)

위   앞   옆

(   )

10 다음 그림에서 □ 안의 숫자는 그 곳에 쌓아 올릴 쌓기나무의 개수입니다. 완성된 모양의 앞, 옆에서 본 모양을 그려 보시오.

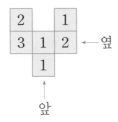

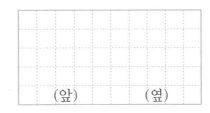

11 규칙에 따라 쌓기나무를 쌓는다면, 1층의 모양은 어떤 모양인지 그려 보시오.

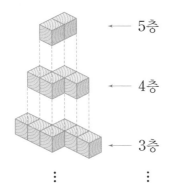

12 규칙에 따라 쌓기나무를 10층까지 쌓을 때, 5층에 놓일 쌓기나무는 몇 개인지 구하시오.

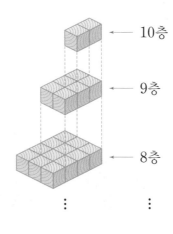

(   )

1 오른쪽과 같이 정육면체 모양의 쌓기나무를 쌓아 만든 모양에 쌓기나무를 더 놓아 정육면체를 만들려고 합니다. 필요한 쌓기나무는 최소한 몇 개인지 구하시오.

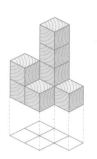

(   )

2 쌓기나무 9개로 다음과 같은 모양을 만들어 떨어지지 않도록 붙여 놓은 후 바닥에 닿은 면을 포함한 모든 겉면에 페인트를 칠하였습니다. 페인트가 칠해진 쌓기나무의 면은 모두 몇 개인지 구하시오.

(   )

3 오른쪽 그림에서 각 칸에 있는 숫자는 그 칸 위에 쌓아 올린 쌓기나무의 개수입니다. 다음 모양은 완성된 모양을 각각 어느 방향에서 본 모양인지 (   ) 안에 알맞게 기호를 쓰시오.

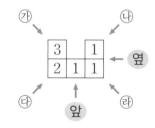

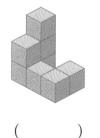   

(   ) (   ) (   ) (   )

4 쌓기나무의 개수를 최소로 하여 다음 모양을 만들려고 합니다. 필요한 쌓기나무의 개수를 구하시오.

(   )

5 규칙에 따라 쌓기나무를 몇 층까지 쌓았습니다. 사용된 쌓기나무의 개수가 81개였다면, 쌓기나무는 몇 층까지 쌓은 것인지 구하시오.

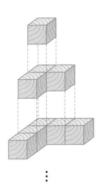

(   )

6 쌓기나무를 이용하여 다음과 같은 규칙에 따라 30층까지 쌓아올려 붙인 뒤 1층의 밑면을 포함하여 모든 겉면에 물감을 칠하였습니다. 두 면만 색칠된 쌓기나무의 개수를 구하시오.

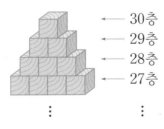

←— 30층
←— 29층
←— 28층
←— 27층

(   )

금메달 따기

1 |보기|와 같이 접착제를 사용하여 4개의 쌓기나무를 붙일 때는 3번을 붙여야 합니다. 쌓기나무 20개를 사용한 아래 모양을 만들기 위해서는 접착제를 사용하여 몇 번을 붙여야 하는지 구하시오.

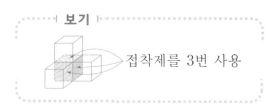

| 보기 |

접착제를 3번 사용

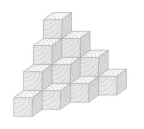

(   )

앞뒤, 좌우, 상하로 붙이는 경우를 생각합니다.

2 정육면체 모양의 쌓기나무를 규칙에 따라 5층까지 쌓아 떨어지지 않도록 붙인 뒤 모든 겉면에 페인트를 칠하였습니다. 페인트를 칠한 면의 수를 구하시오.

(   )

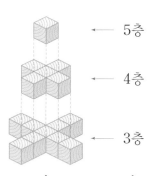

← 5층

← 4층

← 3층

위, 앞, 옆에서 보이는 면의 수를 생각합니다.

3 오른쪽 그림과 같이 정육면체의 모든 겉면에 색이 칠해져 있습니다. 이 정육면체의 가로, 세로, 높이 방향으로 각각 같은 횟수로 잘라 작은 정육면체를 만들 때, 한 면도 색이 칠해지지 않은 정육면체를 64개 만들려면 정육면체를 가로, 세로, 높이 방향으로 각각 몇 번씩 잘라야 하는지 구하시오.

(   )

$64 = 4 \times 4 \times 4$

4 왼쪽과 같은 정육면체 모양에서 쌓기나무 몇 개를 빼냈더니 오른쪽과 같은 모양이 되었습니다. 빼낸 쌓기나무는 몇 개입니까?

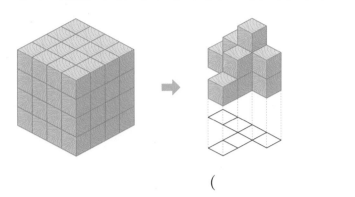

(   )

(빼낸 쌓기나무의 개수)
＝(처음 쌓기나무의 개수)
　－(빼낸 후 쌓기나무의 개수)

5 쌓기나무 4개로 면끼리 연결하여 1층으로 쌓는다면 서로 다른 모양을 모두 몇 가지 만들 수 있겠습니까? (단, 뒤집거나 돌렸을 때 같은 모양은 한 가지로 봅니다.)

(   )

참고
쌓기나무의 개수에 따라 다른 이름이 붙여집니다.
1개 – 모노미노
2개 – 도미노
3개 – 트리미노
4개 – 테트라미노
5개 – 펜토미노

6 위와 옆에서 본 모양이 다음과 같이 되도록 쌓기나무를 쌓으려고 합니다. 필요한 쌓기나무는 최소한 몇 개, 최대한 몇 개입니까?

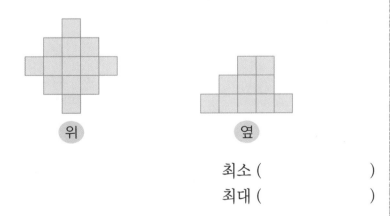

위   옆

최소 (   )
최대 (   )

개념 확인

1. 원주와 원주율 알아보기

- 원의 둘레의 길이를 원주라고 합니다.
- 원에서 원주와 지름의 길이의 비는 일정합니다. 이 비율을 원주율이라고 합니다.

$$(\text{원주율}) = (\text{원주}) \div (\text{지름})$$

2. 원주 구하기

$$(\text{원주}) = (\text{지름}) \times (\text{원주율})$$
$$= (\text{반지름}) \times 2 \times (\text{원주율})$$

예 (원주) $= 3 \times 2 \times 3.1$
$= 18.6 (\text{cm})$

(원주율 : 3.1)

3. 원의 넓이 구하기

위의 그림과 같이 원을 한없이 잘게 잘라 붙이면 원의 넓이는 직사각형의 넓이와 같아집니다.

(원의 넓이)
$= \left(\text{원주의 } \dfrac{1}{2}\right) \times (\text{반지름})$
$= (\text{지름}) \times (\text{원주율}) \times \dfrac{1}{2} \times (\text{반지름})$
$= (\text{반지름}) \times (\text{반지름}) \times (\text{원주율})$

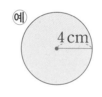

예 (원의 넓이) $= 4 \times 4 \times 3.14$
$= 50.24 (\text{cm}^2)$

(원주율 : 3.14)

4. 부채꼴의 호의 길이와 넓이 구하기

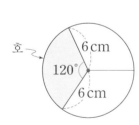

(원주율 : 3.14)

색칠한 부분과 같이 부채 모양을 한 원의 일부분을 부채꼴이라 합니다. 부채꼴에서 곡선 부분을 '호'라고 하며 호의 길이는 중심각의 크기에 비례합니다. 즉, 왼쪽 원의 원주는 $12 \times 3.14 = 37.68 (\text{cm})$이고, 색칠한 호의 길이는 $37.68 \times \dfrac{120}{360} = 12.56 (\text{cm})$입니다. 중심각이 $120°$인 부채꼴의 호의 길이는 결국 원주의 $\dfrac{1}{3}$인 셈입니다. 또한 부채꼴의 넓이도 중심각의 크기에 비례합니다. 위 원의 넓이는 $6 \times 6 \times 3.14 = 113.04 (\text{cm}^2)$이고, 부채꼴의 넓이는 원의 넓이의 $\dfrac{1}{3}$인 셈이므로 $113.04 \times \dfrac{120}{360} = 113.04 \times \dfrac{1}{3} = 37.68 (\text{cm}^2)$입니다.

$$(\text{부채꼴의 호의 길이}) = (\text{원주}) \times \dfrac{\text{중심각}}{360}, \quad (\text{부채꼴의 넓이}) = (\text{원의 넓이}) \times \dfrac{\text{중심각}}{360}$$

1 알맞은 말에 ○표 하시오.

(1) 원의 (지름, 둘레)의 길이를 원주라고 합니다.

(2) 원주율을 구하는 식은 ((원주)÷(지름), (원주)÷(반지름))입니다.

(3) 원주율의 값은 그 크기가 (일정합니다, 일정하지 않습니다).

2 □ 안에 알맞은 수를 써넣으시오.
　　　　　　　　　　　　　(원주율 : 3.14)

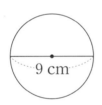

(원주)= □ × □ = □ (cm)

3 색칠한 부분의 둘레의 길이를 구하시오. (원주율 : 3.14)

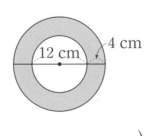

(　　　　　　　　　　)

4 □ 안에 알맞은 수를 써넣으시오. (원주율 : 3)

(원의 넓이)= □ × □ × □

　　　　　　= □ (cm²)

5 오른쪽 그림과 같이 한 변의 길이가 16 cm인 정사각형 안에 들어갈 수 있는 가장 큰 원의 넓이를 구하시오. (원주율 : 3.1)

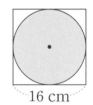

(　　　　　　　　　　)

6 오른쪽 도형을 보고 □ 안에 알맞은 수를 써넣으시오. (원주율 : 3.14)

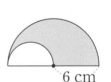

(색칠한 부분의 넓이)

= 6 × □ × □ ÷ □

　　　　− 3 × □ × □ ÷ □

= □ − □ = □ (cm²)

1 원주를 구하시오. (원주율 : 3.1)

(1)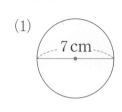
7 cm

(2) 4 cm

(   )   (   )

2 오른쪽 그림에서 색칠한 부분의 둘레의 길이를 구하시오.

(원주율 : 3.14)

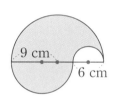
9 cm
6 cm

(   )

3 오른쪽 정사각형에서 색칠한 부분의 둘레의 길이를 구하시오.

(원주율 : 3.14)

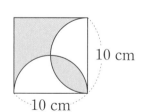
10 cm
10 cm

(   )

4 원의 넓이를 구하시오. (원주율 : 3.14)

(1)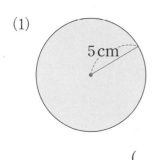

(   )

(2)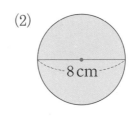

(   )

5 가, 나 두 원의 넓이의 차를 구하시오. (원주율 : 3)

가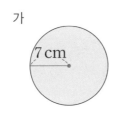

나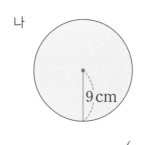

(   )

6 지름, 반지름, 원의 넓이의 관계를 나타낸 표입니다. 표를 완성하시오. (원주율 : 3.14)

지름	반지름	원의 넓이를 구하는 식	원의 넓이
8 cm	4 cm	$4 \times 4 \times 3.14$	
14 cm			
	3.5 cm	$3.5 \times 3.5 \times 3.14$	

7 원의 넓이는 몇 cm²입니까? (원주율 : 3.14)

(1)

지름 : 16 cm

(   )

(2)

지름 : 22 cm

(   )

8 색칠한 부분의 넓이를 구하시오. (원주율 : 3.1)

(1)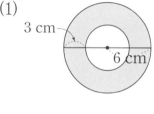

(   )

(2)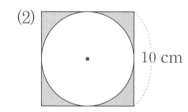

(   )

9 다음 그림과 같은 원이 있습니다. 이 원의 반지름을 2배로 늘이면, 넓이는 몇 배로 늘어나는지 구하시오. (원주율 : 3.14)

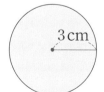

(   )

10 다음 도형에서 색칠한 부분의 넓이를 구하시오. (원주율 : 3.14)

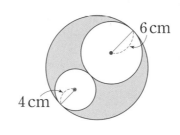

(   )

11 다음 그림과 같은 모양의 땅의 넓이를 구하시오. (원주율 : 3)

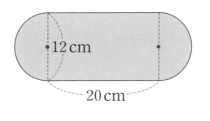

(   )

12 오른쪽 그림에서 색칠한 부분의 넓이를 구하시오. (원주율 : 3.14)

(   )

1 다음 도형에서 색칠한 부분의 넓이를 구하시오. (원주율 : 3)

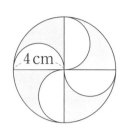

(   )

2 가 원과 나 원의 원주의 합은 43.96 cm입니다. 나 원의 넓이를 구하시오. (원주율 : 3.14)

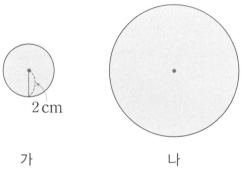

가   나

(   )

3 다음 그림과 같이 둘레의 길이가 48 cm인 직사각형 안에 크기가 같은 4개의 반원
이 있습니다. 색칠한 부분의 둘레의 길이를 구하시오. (원주율 : 3.14)

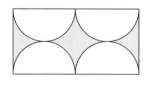

(   )

4 다음 그림과 같이 지름이 20 cm인 3개의 원통을 끈으로 팽팽하게 묶을 때, 필요한 끈의 길이는 몇 cm인지 구하시오. (단, 원주율은 3.14이고 끈을 묶는 매듭은 생각하지 않습니다.)

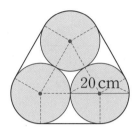

(   )

5 다음과 같이 크기가 같은 원들이 원의 중심을 지나도록 겹쳐서 그렸습니다. 색칠한 부분의 둘레의 길이와 넓이를 각각 구하시오. (원주율 : 3.14)

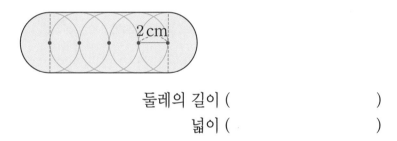

둘레의 길이 (   )

넓이 (   )

6 다음 정사각형에서 색칠한 부분의 둘레의 길이를 구하시오. (원주율 : $3\frac{1}{7}$)

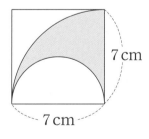

(   )

금메달 따기

생각의 샘

1 그림과 같이 반원과 직각삼각형이 겹쳐져 있습니다. 색칠한 부분의 넓이를 구하시오.

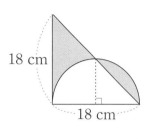

18 cm

18 cm

(   )

넓이를 쉽게 구할 수 있도록 보조선을 그어 생각합니다.

2 오른쪽 그림은 직사각형 ㄱㄴㄷㄹ 안에 크기가 같은 반원 2개를 겹쳐 놓은 것입니다. 색칠한 부분의 둘레의 길이를 구하시오. (원주율 : 3.14)

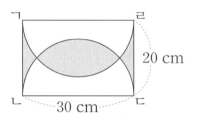

ㄱ   ㄹ

20 cm

ㄴ   30 cm   ㄷ

(   )

3 색칠한 부분의 둘레의 길이와 넓이를 각각 구하시오. (원주율 : 3.1)

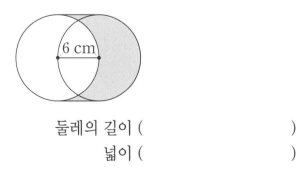

6 cm

넓이를 구할 수 있도록 도형을 잘라 옮겨 붙여 생각합니다.

둘레의 길이 (   )

넓이 (   )

4 다음 그림과 같이 중심이 점 ㄱ, ㄴ, ㄷ인 세 원이 있을 때, 중심이 점 ㄴ인 원의 넓이를 구하시오. (원주율 : 3)

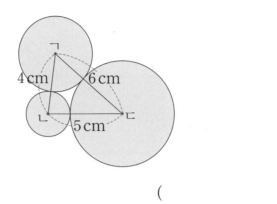

(   )

세 원의 반지름의
길이의 합
→ (4+5+6)÷2

5 다음 그림에서 점 ㅇ은 작은 반원의 중심입니다. 색칠한 부분의 넓이를 구하시오. (원주율 : 3.14)

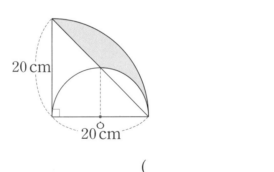

(   )

(색칠한 부분의 넓이)
= (큰 부채꼴의 넓이)
 — (사다리꼴의 넓이)
 — (작은 부채꼴의 넓이)

6 지름이 10 cm인 반원을 점 ㄱ을 중심으로 화살표 방향으로 45°만큼 회전하였을 때, 색칠한 부분의 넓이를 구하시오. (원주율 : 3.14)

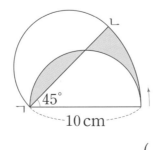

(   )

보조선을 그어 생각
합니다.

1 각뿔이 <u>아닌</u> 입체도형을 모두 고르시오.

( )

①   ②   ③

④   ⑤

 오른쪽 사각기둥을 보고 물음에 답하시오. [2~3]

2 사각기둥에는 평행한 면이 몇 쌍 있습니까?

( )

3 면 ㄴㅂㅅㄷ을 밑면이라 할 때, 높이가 되는 모서리는 모두 몇 개입니까?

( )

4 사각기둥과 그 전개도를 그린 것입니다. □ 안에 알맞은 수를 써넣으시오.

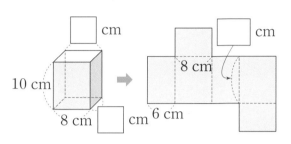

5 삼각기둥의 전개도가 <u>아닌</u> 것은 어느 것입니까? ( )

①   ②

③ 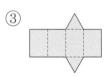 ④

⑤

6 직육면체의 부피는 몇 cm³입니까?

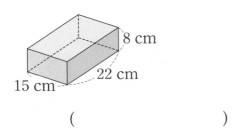

( )

7 그림과 같은 전개도로 만든 정육면체의 부피는 몇 cm³입니까?

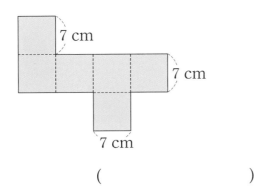

( )

8 안치수가 그림과 같은 수조에 물을 가득 채울 때, 담긴 물의 부피는 몇 m³ 입니까?

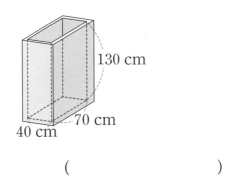

( )

9 다음과 같은 종이를 각각 2장과 4장을 사용하여 직육면체를 만들었습니다. 이 직육면체의 겉넓이는 몇 cm²입니까?

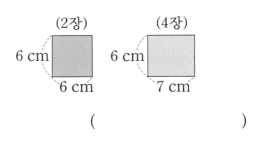

( )

10 직육면체의 겉넓이는 246 cm²입니다. ☐ 안에 알맞은 수를 써넣으시오.

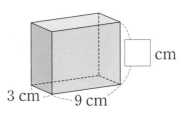

11 안치수가 오른쪽 그림과 같은 직육면체 모양의 수조에 돌을 넣었더니 돌이 물속에 완전히 잠기면서 물의 높이가 6 cm만큼 높아졌습니다. 돌의 부피를 구하시오.

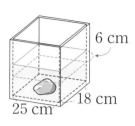

(   )

12 입체도형의 겉넓이와 부피를 각각 구하시오.

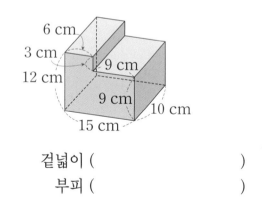

겉넓이 (   )
부피 (   )

13 사용된 쌓기나무의 개수가 가장 많은 것의 기호를 쓰시오.

가   나   다

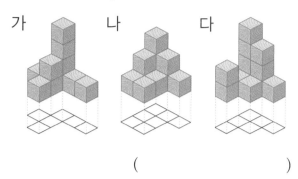

(   )

14 오른쪽 그림과 같은 규칙으로 쌓기나무를 6층까지 쌓았습니다. 사용된 쌓기나무는 모두 몇 개입니까?

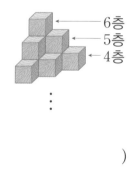

(   )

15 위, 앞, 오른쪽 옆에서 본 모양이 각각 다음과 같이 되도록 쌓기나무를 쌓을 때, 쌓기나무는 몇 개 필요합니까?

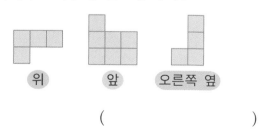

위   앞   오른쪽 옆

(   )

16 다음 중 옳지 <u>않은</u> 것은 어느 것입니까?

( )

① 원의 둘레의 길이를 원주라고 합니다.

② 원의 크기에 상관없이 원주율은 일정합니다.

③ 원주율은 약 3.14입니다.

④ (원주)=(반지름)×(반지름)×(원주율)

⑤ 원의 지름의 길이에 대한 원주의 비율을 원주율이라고 합니다.

17 삼각형 ㄴㅇㄹ의 넓이가 30 cm²이고 삼각형 ㄱㅇㄷ의 넓이가 40 cm²일 때, 원 안의 정육각형의 넓이와 원 밖의 정육각형의 넓이를 구하여 원의 넓이가 얼마인지 어림하려고 합니다. □ 안에 알맞은 수를 써넣으시오.

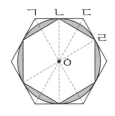

□ cm²<(원의 넓이)< □ cm²

18 큰 원과 작은 원의 원주의 차를 구하시오.

(원주율 : 3.14)

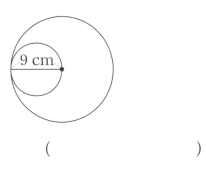

( )

19 지름이 18 cm인 원 안에 마름모 ㄱㄴㄷㄹ을 그렸습니다. 색칠한 부분의 넓이를 구하시오. (원주율 : 3.1)

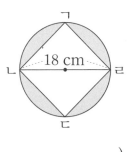

( )

20 지름이 20 cm인 4개의 둥근 통을 다음과 같이 끈으로 한 바퀴 묶을 때에 필요한 끈의 길이는 몇 cm입니까? (단, 원주율은 3.14이고 끈을 묶는 매듭은 생각하지 않습니다.)

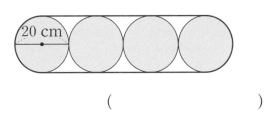

( )

6. 원기둥, 원뿔, 구

개념 확인

1. 원기둥 알아보기

- 오른쪽 그림과 같이 두 면이 서로 평행하고 합동인 원으로 된 기둥 모양의 입체도형을 원기둥이라고 합니다.
- 원기둥에서 위와 아래에 있는 면을 각각 밑면이라 하고, 옆을 둘러싼 굽은 면을 옆면이라고 합니다. 또, 두 밑면에 수직인 선분의 길이를 높이라고 합니다.

2. 원기둥의 전개도 알아보기

- 다음과 같이 원기둥을 펼쳐 놓은 그림을 원기둥의 전개도라고 합니다.

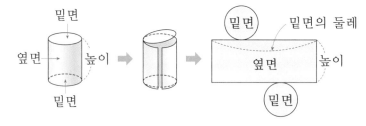

① 밑면인 두 원은 합동이고, 옆면인 직사각형의 위와 아래에 맞닿아 있습니다.
② 옆면의 가로의 길이는 한 밑면의 둘레와 같습니다.
③ 옆면의 세로의 길이는 원기둥의 높이와 같습니다.

3. 원뿔 알아보기

- 오른쪽 그림과 같이 밑면이 원이고 옆면이 굽은 면인 뿔 모양의 입체도형을 원뿔이라고 합니다.
- 원뿔에서 뿔의 반대쪽에 있는 면을 밑면, 옆을 둘러싼 면을 옆면, 뾰족한 점을 원뿔의 꼭짓점이라 하고, 원뿔의 꼭짓점과 밑면인 원 둘레의 한 점을 이은 선분을 모선이라고 합니다. 또, 원뿔의 꼭짓점에서 밑면에 수직인 선분의 길이를 원뿔의 높이라고 합니다.

4. 구 알아보기

- 반원의 지름을 회전축으로 하여 한 번 돌려 얻는 회전체를 구라고 합니다. 이때 반원의 중심은 구의 중심이 되고 반원의 반지름은 구의 반지름이 됩니다.

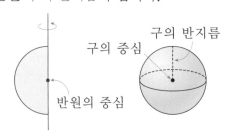

개념익히기

1 원기둥에서 각 부분의 이름이 잘못된 것을 찾아 기호를 쓰시오.

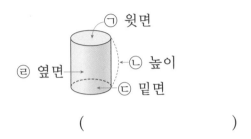

ㄱ 윗면
ㄴ 높이
ㄹ 옆면
ㄷ 밑면

(   )

2 원기둥의 높이는 몇 cm입니까?

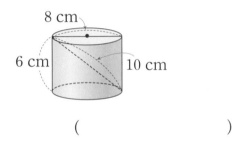

8 cm
6 cm
10 cm

(   )

3 원기둥의 전개도를 찾아 기호를 쓰시오.

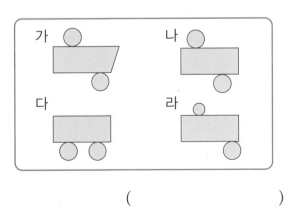

가   나
다   라

(   )

4 다음 원기둥의 전개도의 둘레는 몇 cm입니까?

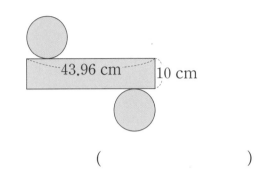

43.96 cm   10 cm

(   )

5 원뿔에서 각 부분의 이름을 ☐ 안에 써 넣으시오.

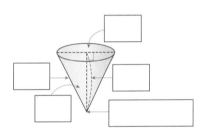

6 오른쪽 원뿔에서 모선의 길이와 높이의 차는 몇 cm입니까?

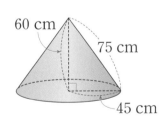

60 cm
75 cm
45 cm

(   )

1 원기둥에서 두 밑면을 찾아 색칠하시오.

(1)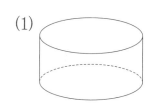

(2)

2 원기둥에서 높이를 나타내는 것을 찾아 기호를 쓰시오.

(   )

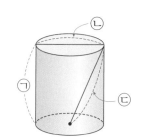

3 두 입체도형을 보고 표를 완성하시오.

가   나

   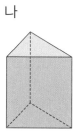

입체도형	도형의 이름	밑면의 모양	옆면의 모양	밑면의 개수	옆면의 개수
가					
나					

4 원기둥의 전개도를 찾아 기호를 쓰시오.

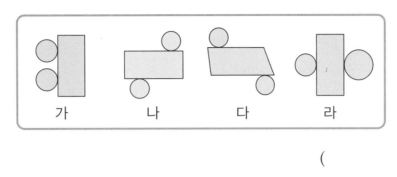

(   )

5 원기둥과 원기둥의 전개도를 보고 ☐ 안에 알맞은 수를 써넣으시오.

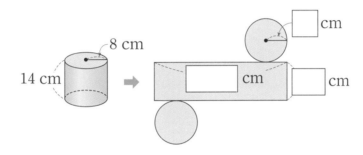

6 원기둥의 전개도가 <u>아닌</u> 것을 찾고, 그 이유를 쓰시오.

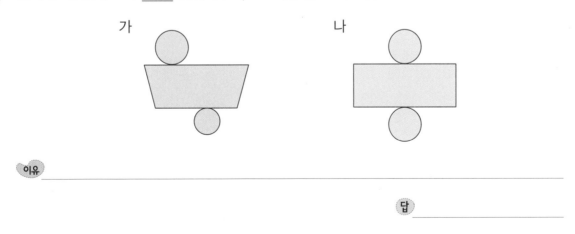

이유 _____

답 _____

7 원기둥의 전개도에서 옆면의 둘레는 몇 cm입니까?

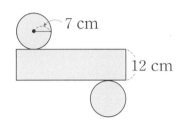

7 cm

12 cm

(   )

8 원뿔을 모두 찾아 기호를 쓰시오.

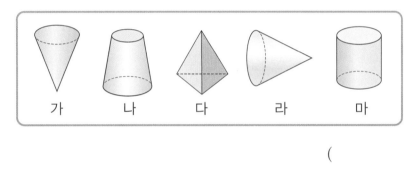

| 가 | 나 | 다 | 라 | 마 |

(   )

9 다음은 원뿔의 무엇을 재는 것인지 알맞게 연결하시오.

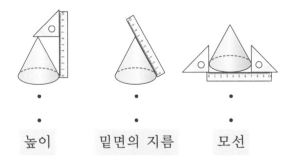

높이   밑면의 지름   모선

10 오른쪽 평면도형을 회전축을 중심으로 하여 한 번 돌려 만들어지는 입체도형을 그려 보시오.

11 회전축을 바르게 나타낸 것은 어느 것입니까? (   )

①   ②   ③

④   ⑤

12 어느 방향으로 잘라도 그 단면의 모양이 같은 것은 어느 것입니까? (   )

①   ②   ③

④   ⑤

1 다음 중 개수가 다른 것을 찾아 기호를 쓰시오.

> ㉠ 원기둥의 옆면의 개수 ㉡ 원뿔의 밑면의 개수
>
> ㉢ 원뿔의 꼭짓점의 개수 ㉣ 구의 회전축의 개수

( )

2 다음은 밑면의 크기가 같은 원기둥과 원뿔의 전개도입니다. 두 전개도의 둘레의 차는 몇 cm입니까?

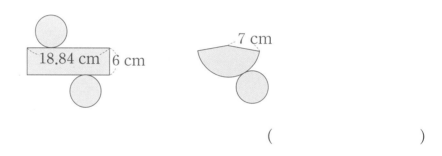

( )

3 원기둥을 여러 방향으로 자를 때, 생길 수 있는 단면의 모양이 아닌 것을 모두 찾아 기호를 쓰시오.

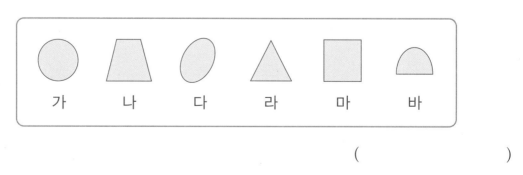

가   나   다   라   마   바

( )

4 원뿔과 원기둥을 회전축을 품은 평면으로 잘랐을 때, 생기는 단면의 넓이가 서로 같다면 원뿔의 높이는 몇 cm입니까?

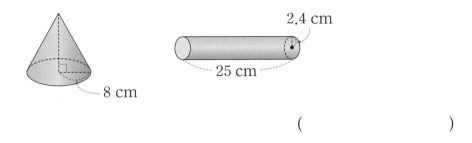

(   )

5 오른쪽 직각삼각형을 변 ㄱㄷ을 축으로 한 번 돌려 얻은 입체도형을 회전축을 품은 평면으로 자른 단면의 넓이는 몇 cm²입니까?

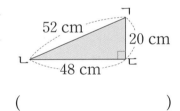

(   )

6 오른쪽 전개도의 둘레는 122.48 cm입니다. 이 전개도로 만들어지는 입체도형을 회전축에 수직인 평면으로 자른 단면의 넓이는 몇 cm²입니까? (원주율 : 3.14)

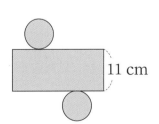

(   )

금메달 따기

1 오른쪽 그림과 같이 원기둥의 점 ㄱ에서 점 ㄴ까지 팽팽하게 실을 감았습니다. 옆면에서 나누어진 부분 중 위쪽의 넓이는 몇 cm² 입니까? (원주율 : 3.14)

(   )

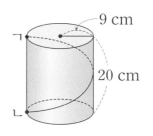

2 오른쪽 원뿔의 밑면의 둘레에 점 6개가 있습니다. 이 원뿔의 꼭짓점과 밑면의 둘레의 두 점을 이어 삼각형을 만들 때, 이등변삼각형은 몇 개 만들 수 있습니까?

(   )

원뿔에서 모선의 길이는 모두 같습니다.

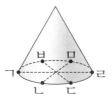

3 오른쪽 회전체는 어떤 평면도형을 회전축을 중심으로 하여 한 번 돌려 만든 것입니다. 돌린 평면도형의 넓이는 몇 cm²입니까?

(   )

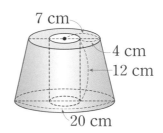

4 오른쪽 회전체를 회전축을 품은 평면으로 자른 단면의 넓이는 몇 cm²입니까?

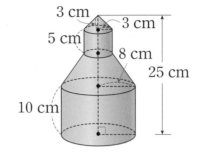

(   )

회전축을 품은 평면으로 자른 단면의 모양은 앞에서 본 모양과 같습니다.

5 오른쪽 평면도형을 회전축을 중심으로 한 번 돌려서 회전체를 만들었습니다. 만들어진 회전체를 회전축을 품은 평면으로 자른 단면의 넓이와 회전축에 수직인 평면으로 자른 단면의 넓이의 차는 몇 cm²입니까? (원주율 : 3.1)

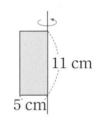

(   )

먼저 평면도형을 회전축을 중심으로 하여 한 번 돌려 얻는 회전체를 그려 봅니다.

6 오른쪽 전개도로 만들어지는 입체도형을 회전축을 품은 평면으로 잘랐더니 단면의 둘레가 40 cm였습니다. ㉠은 몇 cm입니까?

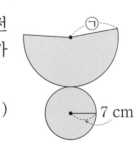

(   )

7. 원기둥의 겉넓이와 부피

1. 원기둥의 겉넓이 구하는 방법

원기둥은 합동인 원으로 이루어진 2개의 밑면과 옆면으로 이루어져 있습니다.
따라서 원기둥의 겉넓이는 밑면인 두 원의 넓이와 옆넓이의 합이므로 한 밑면의 넓이의 2배와 옆넓이의 합으로 구할 수 있습니다.

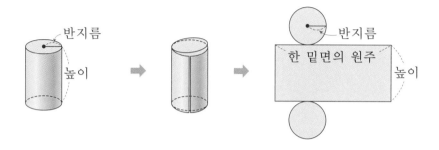

- (한 밑면의 넓이)＝(원의 넓이)＝(반지름)×(반지름)×(원주율)
- (옆넓이)＝(직사각형의 넓이)＝(한 밑면의 원주)×(원기둥의 높이)
- (원기둥의 겉넓이)＝(한 밑면의 넓이)×2＋(옆넓이)

2. 원기둥의 부피 구하는 방법

원기둥을 한없이 잘게 잘라 붙이면 원기둥의 부피는 직육면체의 부피와 같아집니다.

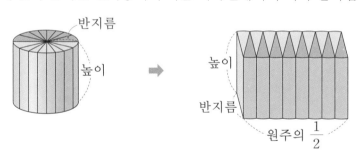

$$
\begin{aligned}
(원기둥의 부피) &= (직육면체의 부피) \\
&= (한 밑면의 넓이) \times (높이) \\
&= (원주의 \tfrac{1}{2}) \times (반지름) \times (높이) \\
&= (반지름) \times 2 \times (원주율) \times \tfrac{1}{2} \times (반지름) \times (높이) \\
&= (반지름) \times (반지름) \times (원주율) \times (높이)
\end{aligned}
$$

1 원기둥의 전개도를 이용하여 겉넓이를 알아보려고 합니다. ☐ 안에 알맞은 수를 써넣으시오. (원주율 : 3.14)

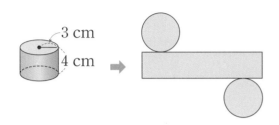

(1) 한 밑면의 넓이는

☐ × ☐ × 3.14 = ☐ (cm²) 입니다.

(2) 옆면인 직사각형의 넓이는

(☐ × 2 × 3.14) × ☐

= ☐ (cm²) 입니다.

(3) 원기둥의 겉넓이는

☐ × 2 + ☐

= ☐ (cm²) 입니다.

2 원기둥의 전개도를 보고 물음에 답하시오.

(원주율 : 3.14)

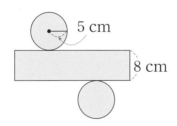

(1) 원기둥의 한 밑면의 넓이를 구하시오.

( )

(2) 원기둥의 옆넓이를 구하시오.

( )

(3) 원기둥의 겉넓이를 구하시오.

( )

3 밑면의 반지름이 12 cm인 원기둥을 그림과 같은 방법으로 한없이 잘게 잘라 서로 엇갈리게 붙였습니다. ☐ 안에 알맞은 수를 써넣으시오. (원주율 : 3.1)

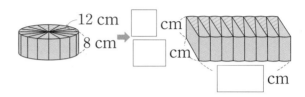

💡 **원기둥의 부피를 구하려고 합니다. ☐ 안에 알맞은 수를 써넣으시오. (원주율 : 3.14)**

[4~5]

4

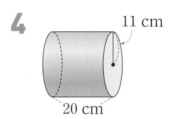

(한 밑면의 넓이) = ☐ × ☐ × 3.14

= ☐ (cm²)

(부피) = ☐ × ☐

= ☐ (cm³)

5

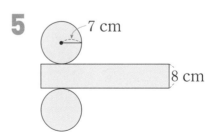

(한 밑면의 넓이) = ☐ × ☐ × 3.14

= ☐ (cm²)

(부피) = ☐ × 8

= ☐ (cm³)

1 한 밑면의 넓이가 78.5 cm²이고, 옆넓이가 188.4 cm²인 원기둥의 겉넓이를 구하려고 합니다. □ 안에 알맞은 수를 써넣으시오.

(원기둥의 겉넓이)= □ ×2+ □

= □ (cm²)

2 오른쪽 그림과 같은 전개도로 만든 원기둥의 겉넓이는 몇 cm²입니까? (원주율 : 3)

3 cm
7 cm

( )

3 원기둥의 겉넓이를 구하시오. (원주율 : 3.14)

(1)
5 cm
12 cm

(2)
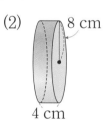
8 cm
4 cm

( ) ( )

4 한 밑면의 지름이 12 cm이고, 높이가 20 cm인 원기둥이 있습니다. 이 원기둥의 겉넓이는 몇 cm²입니까? (원주율 : 3.1)

(   )

5 오른쪽 직사각형을 회전축을 중심으로 하여 한 번 돌려 얻는 입체도형의 겉넓이를 구하시오. (원주율 : 3.14)

(   )

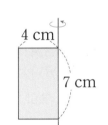

6 원기둥의 겉넓이가 376.8 cm²일 때, 높이는 몇 cm입니까? (원주율 : 3.14)

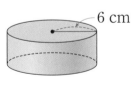

(   )

7 원기둥의 한 밑면의 넓이가 다음과 같을 때, 부피를 구하시오.

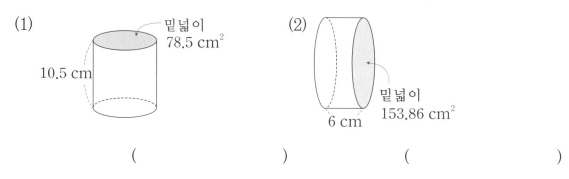

(1) 밑넓이 78.5 cm² 10.5 cm

(2) 밑넓이 153.86 cm² 6 cm

(   )   (   )

8 밑면의 반지름이 3 cm인 원기둥을 똑같은 크기로 한없이 잘게 잘라 서로 엇갈리게 붙여서 직육면체 모양을 만들었습니다. ☐ 안에 알맞은 수를 써넣고 원기둥의 부피를 구하시오. (원주율 : 3.1)

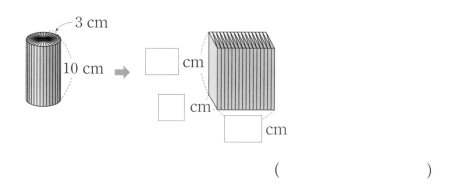

3 cm
10 cm ➡ ☐ cm ☐ cm ☐ cm

(   )

9 원기둥의 부피를 구하시오. (원기둥 : 3.14)

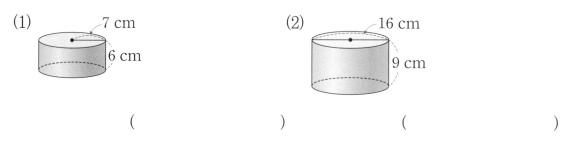

(1) 7 cm 6 cm

(2) 16 cm 9 cm

(   )   (   )

10 가와 나의 부피의 차를 구하시오. (원주율 : 3)

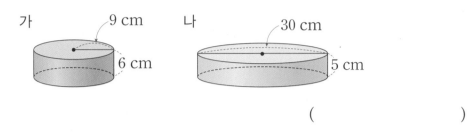

( )

11 오른쪽 전개도로 만들 수 있는 원기둥의 부피는 몇 cm^3 입니까? (원주율 : 3.14)

( )

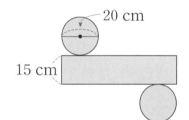

12 가, 나, 다 세 물통에 물을 가득 채우려고 합니다. 어느 물통에 물을 가장 많이 채울 수 있습니까? (원주율 : 3.14)

> 가 : 지름이 10 cm이고, 높이가 3 cm인 원기둥 모양의 물통
> 나 : 반지름이 4 cm이고, 높이가 5 cm인 원기둥 모양의 물통
> 다 : 한 밑면의 넓이가 12.56 cm²이고, 높이가 18 cm인 원기둥 모양의 물통

( )

1 오른쪽과 같은 원기둥의 모양의 롤러에 페인트를 묻혀 벽면에 일직선으로 5바퀴를 굴렸습니다. 페인트가 칠해진 부분의 넓이는 몇 cm²입니까? (원주율 : 3.1)

(   )

2 오른쪽 직사각형을 가로를 회전축으로 하여 한 번 돌려 얻는 입체도형의 겉넓이를 구하시오. (원주율 : 3.14)

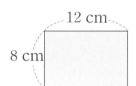

(   )

3 한 밑면의 넓이가 113.04 cm²인 오른쪽 원기둥의 겉넓이를 구하시오. (원주율 : 3.14)

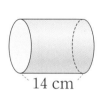

(   )

4 오른쪽 전개도로 만들어지는 입체도형의 부피를 구하시오.
(원주율 : 3.14)

(   )

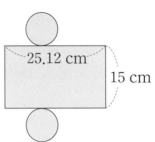

5 원기둥 모양의 수조에 쇠 구슬을 넣었더니 완전히 잠기면서 물의 높이가 0.8 cm 올라갔습니다. 쇠 구슬의 부피는 몇 cm³입니까? (원주율 : 3)

(   )

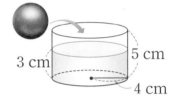

6 가 물통에 물을 가득 채워 나 물통에 부을 때, 적어도 몇 번을 부어야 나 물통에 물이 가득 차겠습니까? (원주율 : 3.14)

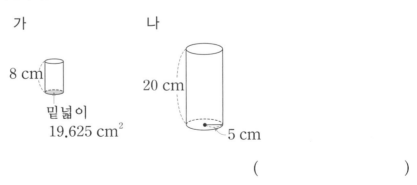

가

나

8 cm

밑넓이
19.625 cm²

20 cm

5 cm

(   )

금메달따기

생각의 샘

1 오른쪽 그림과 같이 크기가 다른 두 원기둥을 겹쳐 놓았습니다. 이 입체도형의 겉넓이를 구하시오. (원주율 : 3.14)

(   )

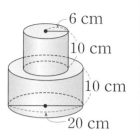

6 cm
10 cm
10 cm
20 cm

(겉넓이)=(밑넓이)×2
＋(옆넓이)

2 오른쪽 그림과 같이 원기둥을 잘랐습니다. 자른 아랫부분의 부피를 구하시오.

(원주율 : 3.1)

(   )

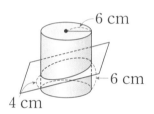

6 cm
6 cm
4 cm

먼저 원기둥의 평균
높이를 알아봅니다.

3 오른쪽 그림과 같이 직사각형 모양의 종이로 2개의 원기둥의 옆면을 한 번 감싼 후 1.52 cm 를 겹쳐서 붙였을 때, 사용한 종이의 넓이는 몇 cm²입니까? (원주율 : 3.14)

(   )

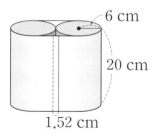

6 cm
20 cm
1.52 cm

먼저 사용한 종이의
가로는 몇 cm인지
알아봅니다.

4 안치수가 오른쪽 그림과 같은 물통에 직육 면체 모양의 막대를 세운 후 물을 가득 채 웠습니다. 물통에 넣은 물은 몇 mL입니 까?(원주율 : 3)

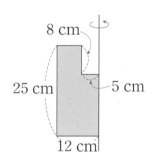

9 cm
9 cm
12 cm
12 cm

(   )

(물통에 넣은 물의 부피)
= (물통의 부피)
 − (물에 잠긴 직육면
체의 부피)

5 오른쪽 도형을 회전축을 중심으로 하여 한 번 돌려 얻는 입체도형의 부피를 구하시오.
(원주율 : 3.14)

8 cm
25 cm
5 cm
12 cm

(   )

회전축을 중심으로 하여 한 번 돌려 얻는 입체도 형은 큰 원기둥에서 작 은 원기둥을 덜어 낸 모 양입니다.

6 오른쪽 그림과 같이 속이 뚫린 원기둥을 4바퀴 굴 렸더니 움직인 거리가 251.2 cm였습니다. 이 입 체도형의 겉넓이를 구하시오. (원주율 : 3.14)

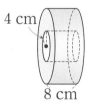

4 cm
8 cm

(   )

입체도형의 옆넓이는 바 깥쪽과 안쪽의 넓이의 합으로 알아봅니다.

개념 확인

💡 도형의 직선 이동에 의하여 겹치는 부분의 넓이, 걸리는 시간 구하기

┌─── 예제 ───

다음과 같이 이등변삼각형과 직사각형이 있습니다. 직사각형은 움직이지 않고, 이등변삼각형이 매초 3 cm의 속력으로 화살표 방향으로 미끄러져 갈 때, 물음에 답하시오.

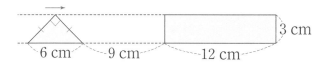

(1) 4초 뒤 삼각형과 사각형이 겹치는 부분의 넓이를 구하시오.

(2) 겹치는 부분의 넓이가 최대일 때는 출발한지 몇 초부터 몇 초까지인지 구하시오.

(3) 위 (1)번의 경우와 같은 넓이가 다시 되는 것은 출발한지 몇 초 뒤인지 구하시오.

풀이

(1)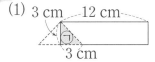

4초 뒤에는 $3 \times 4 = 12$(cm) 움직이므로 왼쪽 그림에서 색칠한 ㉠ 부분이 겹치는 부분입니다. 삼각형 ㉠은 한 각이 직각인 이등변삼각형이 되므로 넓이는 $3 \times 3 \div 2 = 4.5$(cm^2)입니다.

(2)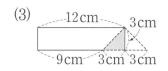

왼쪽 그림과 같이 삼각형이 ㉮의 위치에서 ㉯의 위치까지 미끄러져 갈 때, 겹치는 부분의 넓이는 최대입니다. 출발하여 삼각형이 ㉮의 위치에 올 때까지 걸리는 시간은 $(9+6) \div 3 = 5$(초)이고, $6 \div 3 = 2$(초)간 최대 넓이가 유지되므로 출발한지 5초부터 7초까지가 겹치는 부분의 넓이가 최대입니다.

(3)
```
 ┌─12cm─┐  3cm
 │      │╲
 │      │ ╲
 └──────┴──┘
 9cm  3cm 3cm
```

4초 뒤 겹치는 부분의 넓이는 4.5 cm^{2}이고, 이와 같은 경우가 다시 되는 것은 왼쪽 그림과 같은 때입니다. 따라서 삼각형이 움직인 거리는 $9+12+3 = 24$(cm)이므로 출발한지 $24 \div 3 = 8$(초) 뒤입니다.

도형의 직선 이동에 의하여 겹치는 부분의 넓이를 구하거나 걸리는 시간을 구할 때, 어떤 상황인지 그림을 그려 살펴보고 문제를 해결합니다.

왼쪽 정사각형을 화살표 방향으로 1초에 1 cm씩 이동시킬 때 물음에 답하시오.

[1~4]

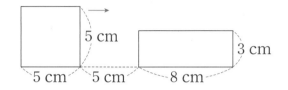

1 정사각형과 직사각형이 처음으로 만나는 데 걸리는 시간을 구하시오.

( )

2 정사각형이 움직여 8초가 지났을 때 정사각형과 직사각형이 겹치는 부분의 넓이를 구하시오.

( )

3 정사각형과 직사각형이 겹치는 부분의 넓이가 가장 넓을 때 겹치는 부분의 넓이를 구하시오.

( )

4 정사각형과 직사각형이 겹치는 부분의 넓이가 가장 넓을 때는 정사각형이 출발 후 몇 초부터 몇 초까지인지 구하시오.

( )

왼쪽 이등변삼각형을 화살표 방향으로 1초에 2 cm씩 이동시킬 때 물음에 답하시오.

[5~7]

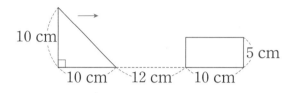

5 이등변삼각형이 직사각형과 처음으로 만나는데 걸리는 시간을 구하시오.

( )

6 이등변삼각형이 움직여 8초가 지났을 때 이등변삼각형과 직사각형이 겹치는 부분의 넓이를 구하시오.

( )

7 겹쳐진 부분의 넓이가 가장 넓을 때는 출발 후 몇 초 후이며, 이 때의 넓이는 몇 cm²입니까?

( ), ( )

💡 다음 그림과 같이 정사각형을 화살표 방향으로 1초에 2 cm씩 이동시킬 때 물음에 답하시오. [1~3]

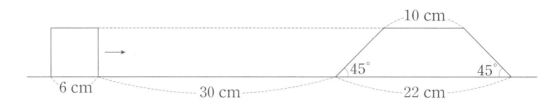

1 정사각형과 사다리꼴이 겹친 부분의 넓이가 처음으로 18 cm²가 되는 때는 정사각형이 출발하여 몇 초 후입니까?

(   )

2 정사각형과 사다리꼴이 겹친 부분의 넓이가 처음으로 34 cm²가 되는 때는 정사각형이 출발하여 몇 초 후입니까?

(   )

3 겹친 부분의 넓이가 가장 넓을 때의 넓이는 몇 cm²이고 몇 초 동안 지속됩니까?

(   )

💡 다음 그림과 같이 직사각형을 화살표 방향으로 1초에 2 cm씩 이동시킬 때 물음에 답하시오. [4~6]

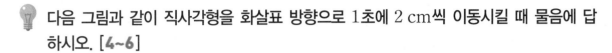

4   직사각형과 평행사변형이 겹친 부분의 넓이가 처음으로 평행사변형 넓이의 $\dfrac{1}{2}$이 되는 때는 직사각형이 움직이기 시작하여 몇 초 후인지 구하시오.

(   )

5   직사각형과 평행사변형이 겹친 부분의 넓이가 20 cm²가 되는 것은 직사각형이 움직이기 시작하여 몇 초 후인지 모두 구하시오.

(   )

6   직사각형과 평행사변형이 겹친 부분의 넓이가 최대일 때, 겹친 부분의 넓이를 구하시오.

(   )

💡 다음과 같이 [그림 1]의 상태에서 2개의 이등변삼각형이 선분 AB를 따라 화살표 방향으로 각각 1초에 1 cm씩 가는 빠르기로 움직입니다. 물음에 답하시오. [7~9]

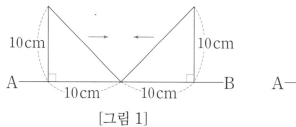

[그림 1]

[그림 2]

7 [그림 2]와 같이 되는 것은 두 삼각형이 움직이기 시작하여 몇 초 후인지 구하시오.

(   )

8 [그림 2]에서 두 삼각형이 겹치는 부분의 넓이를 구하시오.

(   )

9 두 삼각형이 움직이기 시작하여 8초 후에 두 삼각형이 겹치는 부분의 넓이를 구하시오.

(   )

💡 다음과 같이 선분 XY 위에 직사각형 ABCD와 이등변삼각형 EFG를 놓고 직사각형 ABCD를 화살표 방향으로 1초에 2 cm씩 가는 빠르기로 움직여 갑니다. 물음에 답하시오. [10~12]

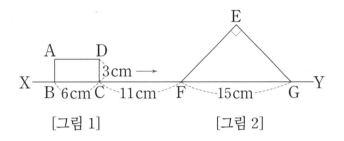

[그림 1]   [그림 2]

10 6.5초 후 두 도형이 겹치는 부분의 넓이를 구하시오.

(   )

11 두 도형이 겹치는 부분의 넓이가 처음으로 최대가 되는 것은 직사각형이 움직이기 시작하여 몇 초 후인지 구하시오.

(   )

12 두 도형이 겹치는 부분의 넓이가 10.5 cm²가 되는 것은 직사각형이 움직이기 시작하여 몇 초 후인지 모두 구하시오.

(   )

💡 다음과 같이 직사각형 ㉮와 ㉯가 있습니다. 직사각형 ㉯는 움직이지 않고 직사각형 ㉮는 선분 AB 위를 화살표 방향으로 미끄러져 갑니다. 오른쪽 그래프는 직사각형 ㉮와 ㉯가 겹치기 시작하고부터의 시간과 겹치는 부분의 넓이와의 관계를 나타낸 것입니다. 물음에 답하시오. [1~3]

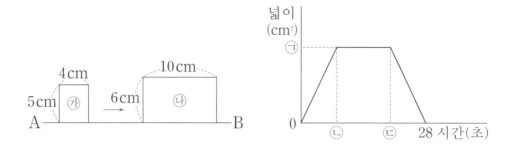

1 직사각형 ㉮는 1초에 몇 cm씩 가는 빠르기로 움직이는지 구하시오.

( )

2 위의 그래프에서 ㉠에 알맞은 수를 구하시오.

( )

3 위의 그래프에서 ㉡과 ㉢에 알맞은 수를 각각 구하시오.

㉡ ( )

㉢ ( )

다음 그림과 같이 두 직사각형 A와 B가 화살표 방향으로 각각 미끄러져 갑니다. 오른쪽 그래프는 두 직사각형이 출발하고부터의 시간과 두 직사각형이 겹치는 부분의 넓이와의 관계를 나타낸 것입니다. 직사각형 A의 속력이 매초 1 cm일 때, 물음에 답하시오. [4~6]

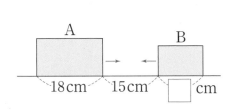
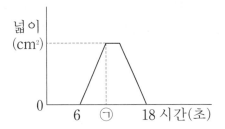

4 직사각형 B는 매초 몇 cm의 속력으로 움직이는지 구하시오.

(   )

5 직사각형 B에서 □ 안에 알맞은 수를 구하시오.

(   )

6 그래프에서 ㉠에 알맞은 수를 구하시오.

(   )

가로가 각각 8 cm, 18 cm인 두 직사각형을 [그림 1]과 같은 위치에서 직사각형 ㈏는 고정시켜 놓고 직사각형 ㈎를 화살표 방향으로 매초 2 cm의 빠르기로 [그림 2]를 거쳐 [그림 3]의 모양이 될 때까지 움직여 갑니다. 그래프는 직사각형 ㈎가 움직이고부터의 시간과 두 직사각형이 겹치는 부분의 넓이와의 관계를 일부분만 나타낸 것입니다. 물음에 답하시오. [1~3]

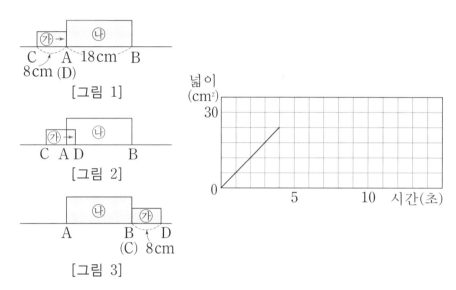

1 직사각형 ㈎의 세로의 길이를 구하시오.

(   )

도형 ㈎와 ㈏의 겹치는 부분의 넓이가 처음으로 최대가 되는 때는?
→8÷2＝4(초) 후

2 직사각형 ㈎가 움직이기 시작하여 10초 후 겹치는 부분의 넓이를 구하시오.

(   )

3 [그림 3]과 같이 될 때까지의 그래프를 완성하시오.

먼저 겹치는 부분의 넓이 변화가 없는 구간을 알아봅니다.

다음과 같이 왼쪽 도형을 화살표 방향으로 매초 2 cm의 빠르기로 이동시킬 때 물음에 답하시오. [4~6]

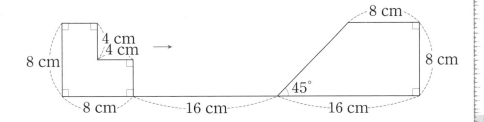

4 왼쪽 도형을 움직이기 시작하여 10초가 되었을 때, 두 도형의 겹친 부분의 넓이를 구하시오.

(   )

먼저 왼쪽 도형이 10초 동안 움직인 거리를 구해 봅니다.

5 왼쪽 도형을 움직이기 시작하여 14초가 되었을 때, 두 도형의 겹친 부분의 넓이를 구하시오.

(   )

먼저 왼쪽 도형이 14초 동안 움직인 거리를 구해 봅니다.

6 도형의 겹친 부분의 넓이가 가장 넓을 때, 걸린 시간과 겹친 부분의 넓이를 각각 구하시오.

걸린 시간 (   )

넓이 (   )

도형의 겹친 부분의 넓이가 가장 넓을 때는 왼쪽 도형이 오른쪽 도형에 완전히 포함될 때입니다.

도형을 회전하여 이동하면 원 또는 부채꼴 모양이 만들어집니다.

도형을 회전 이동하여 만들어지는 넓이는 원 또는 부채꼴의 넓이를 이용하여 구할 수 있습니다.

(1) 직사각형 ㄱㄴㄷㄹ을 꼭짓점 ㄴ을 중심으로 90° 회전 이동시켰을 때 색칠한 부분의 넓이를 구하시오. (원주율 : 3)

➡ 삼각형 ㅁㅂㄴ을 삼각형 ㄱㄴㄹ의 자리로 이동하면 색칠한 부분의 넓이는 부채꼴 ㅁㄴㄹ의 넓이와 같습니다.

$$13 \times 13 \times 3 \times \frac{90}{360} = 126.75 (\text{cm}^2)$$

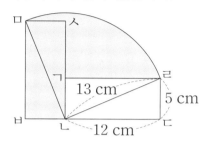

(2) 정삼각형 ㄱㄴㄷ을 한 바퀴 굴렸을 때 꼭짓점 ㄱ이 움직인 거리를 구하시오. (원주율 : 3.1)

➡ $6 \times 2 \times 3.1 \times \dfrac{120}{360} + 6 \times 2 \times 3.1 \times \dfrac{120}{360}$

$= 24.8 (\text{cm})$

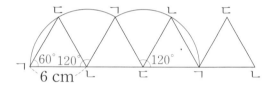

(3) 직사각형 ㄱㄴㄷㄹ의 변을 따라 반지름이 2 cm인 원을 한 바퀴 이동시킬 때 원이 지나간 곳의 넓이를 구하시오. (원주율 : 3.14)

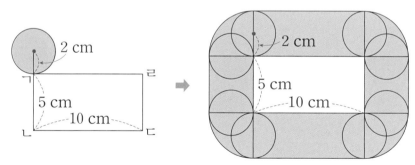

(원이 지나간 곳의 넓이)=(직사각형 4개의 넓이)+(부채꼴 4개의 넓이)

• (직사각형 4개의 넓이)=$(4 \times 10 + 4 \times 5) \times 2 = 120 (\text{cm}^2)$

• (부채꼴 4개의 넓이)=$(4 \times 4 \times 3.14 \times \frac{1}{4}) \times 4 = 50.24 (\text{cm}^2)$

• (원이 지나간 곳의 넓이)=$120 + 50.24 = 170.24 (\text{cm}^2)$

개념 익히기

1 한 변의 길이가 9 cm인 정삼각형 ㄱㄴㄷ을 ㉮ 위치부터 ㉯ 위치까지 한 바퀴 굴렸을 때 꼭짓점 ㄱ이 움직인 거리를 구하시오.
(원주율 : 3)

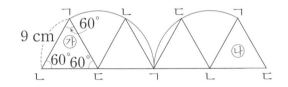

➡ 정삼각형의 한 각의 크기는 □ °이므로 부채꼴 ㄱㄷㄱ과 부채꼴 ㄱㄴㄱ의 중심각의 크기는 각각 □ °입니다.
따라서 점 ㄱ이 움직인 거리는
$$(□ \times 2 \times 3 \times \frac{□}{360}) \times 2$$
$$= □ (cm)입니다.$$

💡 직사각형 ㄱㄴㄷㄹ을 ㉮ 위치부터 ㉯ 위치까지 한 바퀴 굴렸을 때 꼭짓점 ㄱ이 움직인 거리를 알아보려고 합니다. 물음에 답하시오. **[2~3]**

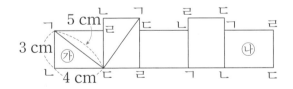

2 위 도형에 점 ㄱ이 지나간 자리를 그려 보시오.

3 점 ㄱ이 움직인 거리를 구하시오.
(원주율 : 3.14)

(   )

4 다음과 같이 반지름이 2 cm인 원이 직사각형의 변을 따라 한 바퀴 돌아 처음 위치에 왔을 때, 원이 지나간 부분의 넓이를 구하시오. (원주율 : 3.1)

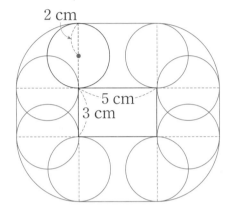

(원이 지나간 부분의 넓이)
= (직사각형 부분의 넓이의 합)
   + (부채꼴 부분의 넓이의 합)
$$= (□ + □ + □ + □) \times □$$
$$+ □ \times □ \times 3.1 \times \frac{□}{360} \times 4$$
$$= □ (cm^2)$$

5 반지름이 2 cm인 원이 삼각형의 변을 따라 바깥쪽을 한 바퀴 돌아 처음의 위치로 돌아왔을 때, 원이 지나간 부분의 넓이를 구하시오. (원주율 : 3.14)

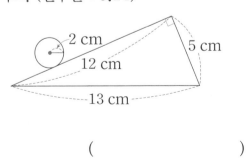

(   )

1 다음 그림과 같은 삼각형 ㄱㄴㄷ을 직선 위에서 화살표 방향으로 1바퀴 굴렸을 때 점 ㄴ이 움직인 거리는 몇 cm입니까? (원주율 : 3)

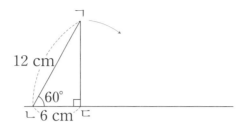

(   )

2 직사각형 ㄱㄴㄷㄹ을 직선 위에서 오른쪽 방향으로 1바퀴 굴렸을 때 점 ㄴ이 움직인 거리를 구하시오. (원주율 : 3.14)

(   )

3 위 **2**번 문제에서 점 ㄱ과 점 ㄹ이 움직인 거리의 합을 구하시오. (원주율 : 3.14)

(   )

4 다음과 같이 직사각형 ㄱㄴㄷㄹ의 변을 따라 반지름이 5 cm인 원을 한 바퀴 이동하여 처음의 위치까지 이동시킬 때 원의 중심이 움직인 거리를 구하시오. (원주율 : 3.1)

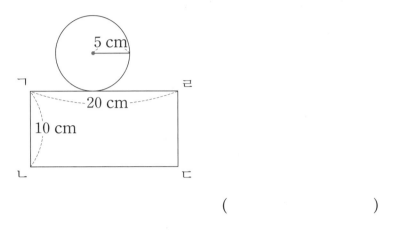

(   )

5 다음과 같이 직사각형 ㄱㄴㄷㄹ의 변을 따라 반지름이 5 cm인 원을 한 바퀴 이동하여 처음의 위치까지 이동시킬 때 원이 지나간 부분의 넓이를 구하시오. (원주율 : 3.1)

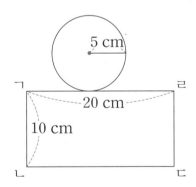

(   )

6 다음과 같이 한 변의 길이가 20 cm인 정삼각형의 변을 따라 반지름이 5 cm인 원을 한 바퀴 이동하여 처음의 자리에 왔을 때, 원의 중심이 움직인 거리를 구하시오.

(원주율 : 3.14)

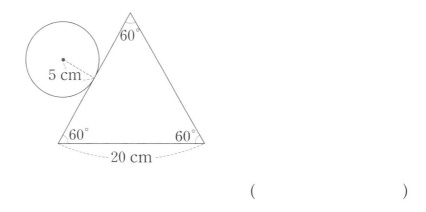

(   )

7 다음과 같이 한 변의 길이가 20 cm인 정삼각형의 변을 따라 반지름이 5 cm인 원을 한 바퀴 이동하여 처음의 자리에 왔을 때, 원이 지나간 부분의 넓이를 구하시오.

(원주율 : 3.14)

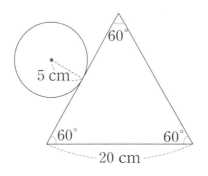

(   )

8 다음과 같이 반지름이 5 cm인 원을 직각삼각형의 변을 따라 한 바퀴 이동하여 처음의 위치에 오도록 했을 때, 원의 중심이 움직인 거리를 구하시오.(원주율 : 3.14)

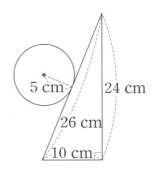

(   )

9 다음과 같이 반지름이 5 cm인 원을 직각삼각형의 변을 따라 한 바퀴 이동하여 처음의 위치에 오도록 했을 때, 원이 지나간 부분의 넓이를 구하시오. (원주율 : 3.14)

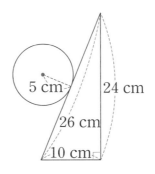

(   )

1 다음과 같이 반지름이 5 cm인 원을 사다리꼴 ㄱㄴㄷㄹ의 변을 따라 한 바퀴 이동하여 처음의 자리에 오도록 했을 때 원의 중심이 움직인 거리를 구하시오. (원주율 : 3.14)

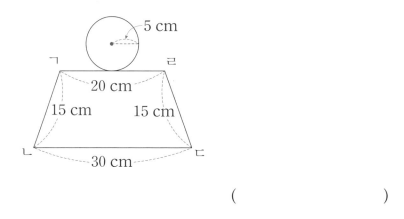

(   )

2 다음 그림과 같이 반지름이 10 cm인 반원을 직선 위에서 한 바퀴 굴렸습니다. 원의 중심이 움직인 거리를 구하시오. (원주율 : 3.14)

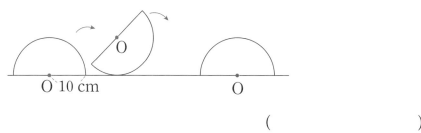

(   )

3 다음 도형과 같이 지름이 10 cm인 반원과 한 변의 길이가 10 cm인 정사각형으로 만들어진 도형이 있습니다. 지름이 4 cm인 원이 이 도형의 바깥쪽 둘레를 따라 처음의 위치까지 1바퀴 움직였을 때, 원의 중심이 움직인 거리는 얼마입니까? (원주율 : 3)

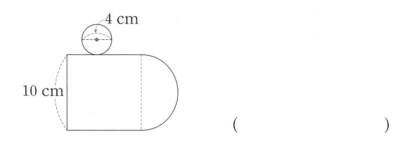

(   )

4 다음 도형은 삼각형 ㄱㄴㄷ을 점 ㄷ을 중심으로 72° 회전시킨 것입니다. 색칠한 부분의 넓이를 구하시오. (원주율 : 3.1)

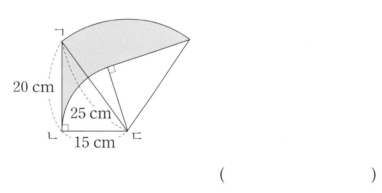

(   )

1 다음 그림과 같은 도형의 둘레를 따라 반지름이 2 cm인 원이 처음의 위치까지 한 바퀴 돌 때, 원의 중심 O가 움직인 거리를 구하시오. (원주율 : 3.14)

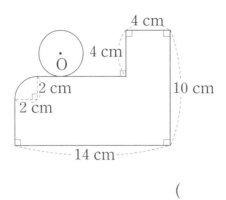

(   )

2 다음 그림과 같이 한 변의 길이가 3 cm인 정삼각형과 사다리꼴 ㄱㄴㄷㄹ이 있습니다. 정삼각형이 ㉠의 위치에서 사다리꼴의 변 ㄱㄴ, ㄴㄷ, ㄷㄹ을 따라 ㉡의 위치까지 화살표 방향으로 굴러 갔습니다. 정삼각형의 꼭지점 ㅁ이 움직인 거리를 구하시오.

(원주율 : 3.1)

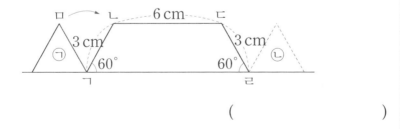

(   )

3 다음 그림과 같이 반지름이 5 cm인 원 ㉠과 원 ㉡이 직사각형 ㄱㄴㄷㄹ의 변을 따라 원 ㉠은 직사각형의 바깥쪽을, 원 ㉡은 직사각형의 안쪽을 한 바퀴 굴렸습니다. 두 원이 지나간 부분의 넓이의 차를 구하시오. (원주율 : 3.14)

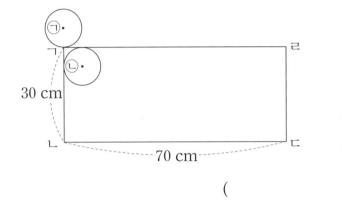

(   )

원이 직사각형의 안쪽을 움직일 때 원이 지나가지않는 곳에 유의하여 계산합니다.

4 오른쪽 그림과 같이 ㉮의 위치에 있는 반지름이 6 cm인 원판이 선분 AB, 선분 BC, 선분 CD 위를 굴러 ㉯의 위치까지 움직였습니다. 원판이 지나간 부분의 넓이를 구하시오. (원주율 : 3)

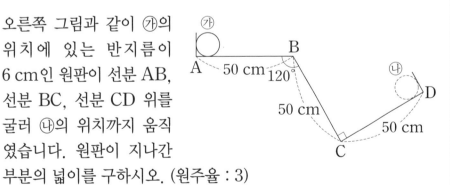

(   )

원판이 움직일 때 닿지 않는 부분을 유의합니다.

10. 경우의 수

1. 직사각형의 변을 따라 가장 짧은 거리로 가는 방법

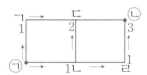

- 점 ㉠에서 ㄱ으로 가는 방법 : 1가지
- 점 ㉠에서 ㄴ으로 가는 방법 : 1가지
- 점 ㉠에서 점 ㉡으로 가는 방법 : 1＋1＝2(가지)

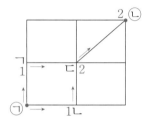

- 점 ㉠에서 ㄷ으로 가는 방법 : 1＋1＝2(가지)
- 점 ㉠에서 ㄹ로 가는 방법 : 1가지
- 점 ㉠에서 점 ㉡으로 가는 방법 : 2＋1＝3(가지)

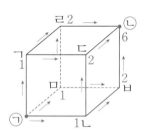

- 대각선이 있을 때는 대각선으로 가는 것이 두 변을 따라 가는 거리보다 짧으므로 대각선으로 가야 합니다.
- 점 ㉠에서 ㄷ으로 가는 방법 : 1＋1＝2(가지)
- 점 ㉠에서 점 ㉡으로 가는 방법 : 2가지

2. 직육면체의 모서리를 따라 가장 짧은 거리로 가는 방법

점 ㉠에서 ㄷ으로 가는 방법 : 1＋1＝2(가지)

점 ㉠에서 ㄹ로 가는 방법 : 1＋1＝2(가지)

점 ㉠에서 ㅂ으로 가는 방법 : 1＋1＝2(가지)

점 ㉠에서 점 ㉡으로 가는 방법 : 2＋2＋2＝6(가지)

3. 곡선으로 난 길을 따라 가는 방법

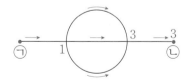

점 ㉠에서 점 ㉡으로 가는 방법 : 1＋1＋1＝3(가지)

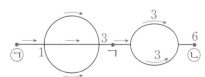

점 ㉠에서 ㄱ으로 가는 방법 : 1＋1＋1＝3(가지)

ㄱ에서 점 ㉡으로 가는 방법 : 1＋1＝2(가지)

점 ㉠에서 ㉡으로 가는 방법 : 3×2＝6(가지)

1 다음과 같이 직사각형 모양으로 난 길이 있습니다. ㉠에서 ㉡으로 가는 방법 중 가장 가까운 길로 가는 방법은 몇 가지입니까?

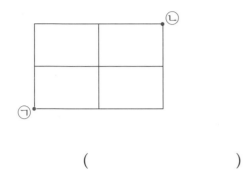

(   )

2 다음과 같이 직사각형 모양과 대각선으로 난 길이 있습니다. 길을 따라 ㉠에서 ㉡으로 가는 방법 중 가장 가까운 길로 가는 방법은 몇 가지입니까?

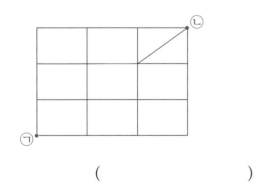

(   )

3 다음과 같이 직육면체의 모서리를 따라 ㉠에서 ㉡으로 가려고 합니다. 가장 가까운 거리로 가는 방법은 몇 가지입니까?

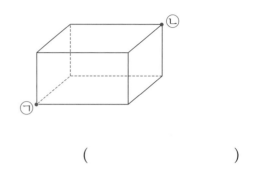

(   )

4 다음과 같이 길이 나 있습니다. 길을 따라 ㉠에서 ㉡으로 가는 방법은 몇 가지입니까? (단, 한 번 지나간 지점은 다시 가지 않습니다.)

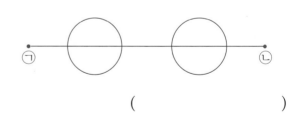

(   )

1 다음과 같이 직사각형 모양으로 난 길이 있습니다. 길을 따라 ㉠에서 ㉡으로 가는 방법 중 가장 가까운 거리로 가는 방법은 몇 가지입니까?

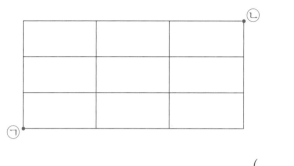

(   )

2 다음과 같이 직사각형 모양으로 난 길이 있습니다. 길을 따라 ㉠에서 ㉡으로 가는 방법 중 가장 가까운 거리로 가는 방법은 몇 가지입니까?

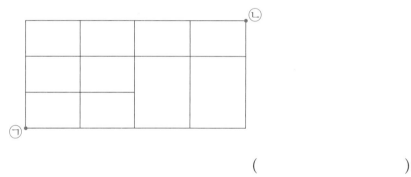

(   )

3 다음과 같이 직사각형 모양으로 난 길이 있습니다. ×표를 한 길은 공사중이어서 갈 수 없다고 할 때, 길을 따라 ㉠에서 ㉡으로 가는 방법 중 가장 가까운 거리로 가는 방법은 몇 가지입니까?

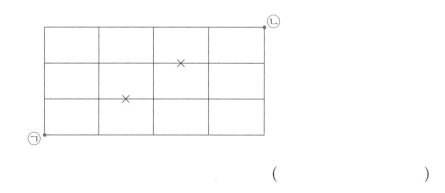

(   )

4 다음과 같이 직사각형 모양과 대각선으로 난 길이 있습니다. 길을 따라 ㉠에서 ㉡으로 가는 방법 중 가장 가까운 거리로 가는 방법은 몇 가지입니까?

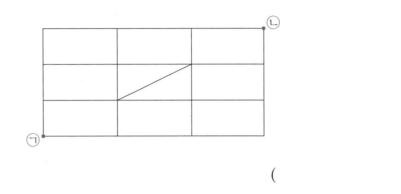

(   )

5 다음과 같이 직사각형 모양과 대각선으로 난 길이 있습니다. 길을 따라 ㉠에서 ㉡으로 가는 방법 중 가장 가까운 거리로 가는 방법은 몇 가지입니까?

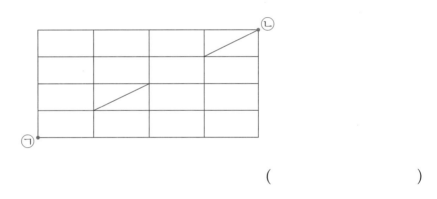

(   )

6 다음과 같이 직사각형 모양과 대각선으로 난 길이 있습니다. ×표를 한 길은 공사 중이어서 갈 수 없다고 할 때, 길을 따라 ㉠에서 ㉡으로 가는 방법 중 가장 가까운 거리로 가는 방법은 몇 가지입니까?

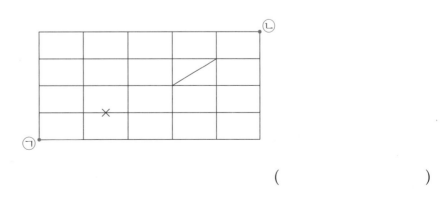

(   )

7 다음과 같이 철사를 사용하여 직육면체 2개를 붙여 놓은 모양을 만들었습니다. 철사를 따라 ㉠에서 ㉡까지 가려고 할 때, 가장 가까운 거리로 가는 방법은 모두 몇 가지입니까?

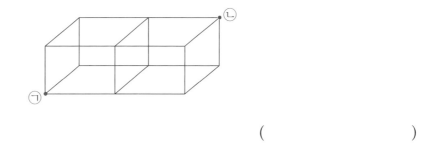

(   )

8 다음과 같이 직육면체 2개를 붙여 모양을 만들었습니다. 모서리를 따라 ㉠에서 ㉡까지 가려고 할 때, 가장 가까운 거리로 가는 방법은 모두 몇 가지입니까?

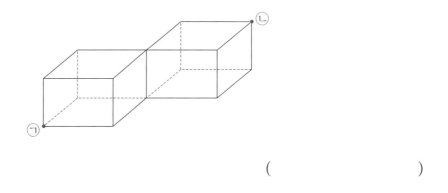

(   )

9 다음과 같이 직육면체 2개를 한 꼭지점에서 만나도록 붙여 놓았습니다. 모서리를 따라 ㉠에서 ㉡까지 가려고 할 때 가장 가까운 거리로 가는 방법은 모두 몇 가지입니까?

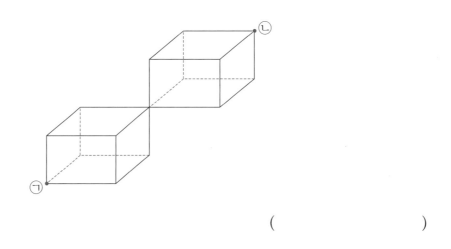

(   )

10 다음과 같은 모양으로 길이 나 있습니다. 한 번 지나간 지점은 다시 가지 않기로 할 때, ㉠에서 ㉡으로 가는 방법은 모두 몇 가지입니까?

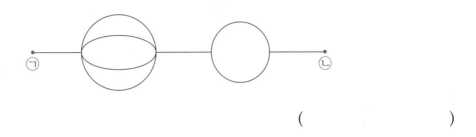

(   )

11 다음과 같은 모양으로 길이 나 있습니다. 한 번 지나간 지점은 다시 가지 않기로 할 때, ㉠에서 ㉡으로 가는 방법은 모두 몇 가지입니까?

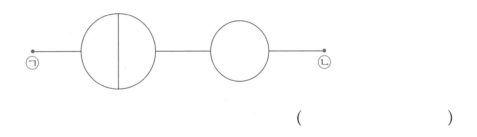

(   )

12 다음과 같은 모양으로 길이 나 있습니다. 화살표 방향으로만 간다고 할 때, ㉠에서 ㉡으로 가는 방법은 모두 몇 가지입니까?

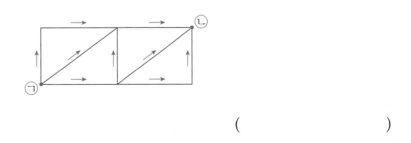

(   )

1 다음과 같이 직사각형 모양과 대각선으로 난 길이 있습니다. 길을 따라 ㉠에서 ㉡으로 갈 때 가장 가까운 거리로 갈 수 있는 방법은 모두 몇 가지입니까?

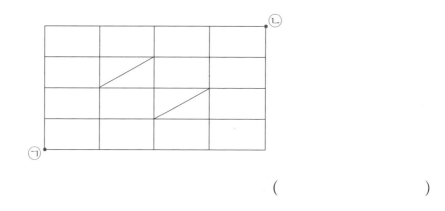

(   )

2 다음과 같이 직사각형 모양과 대각선으로 난 길이 있습니다. 길을 따라 ㉠에서 ㉡으로 갈 때 가장 가까운 거리로 갈 수 있는 방법은 모두 몇 가지입니까?

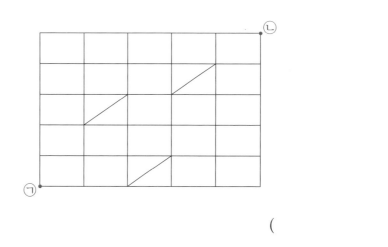

(   )

3 다음과 같이 철사를 사용하여 직육면체 4개를 붙여 놓은 모양을 만들었습니다. 철사를 따라 ㉠에서 ㉡으로 가려고 할 때, 가장 가까운 거리로 갈 수 있는 방법은 모두 몇 가지입니까?

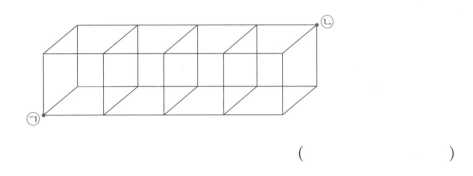

(   )

4 다음과 같은 모양으로 길이 나 있습니다. 한 번 지나간 지점은 다시 가지 않기로 할 때, ㉠에서 ㉡으로 가는 방법은 모두 몇 가지입니까?

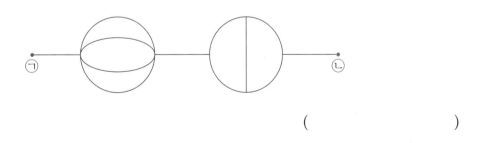

(   )

금메달 따기

생각의 샘

가장 가까운 길로 갈 때 대각선으로 난 길이 있으면 반드시 대각선으로 난 길을 이용해야 합니다.

1 다음과 같이 직사각형 모양과 대각선으로 난 길이 있습니다. 길을 따라 ㉠에서 ㉡으로 갈 때 가장 가까운 거리로 갈 수 있는 방법은 모두 몇 가지입니까? (단, ×표시가 된 길은 갈 수 없는 길입니다.)

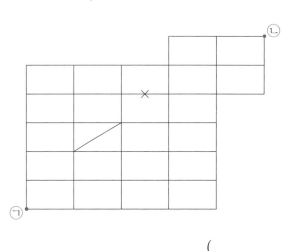

(   )

2 다음 그림과 같이 삼각형 모양의 도로가 있습니다. ㉠에서 ㉡을 지나 ㉢까지 가장 가까운 길로 갈 수 있는 방법은 몇 가지입니까?

(㉠에서 ㉡을 지나 ㉢까지 가는 방법)
= (㉠에서 ㉡까지 가는 방법)
× (㉡에서 ㉢까지 가는 방법)

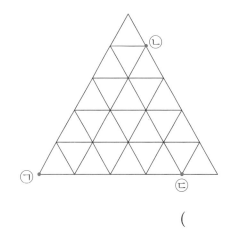

(   )

3 다음과 같이 철사를 사용하여 직육면체 4개를 붙여놓은 모양을 만들었습니다. ㉠에서 ㉡으로 갈 때 가장 가까운 거리로 갈 수 있는 방법은 모두 몇 가지입니까?

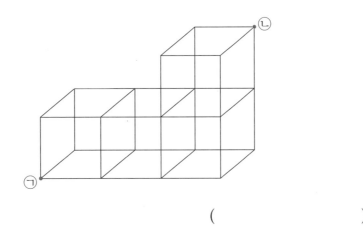

(   )

꼭짓점까지 가는 방법은 가로 방향으로 가는 방법과 세로 방향으로 가는 방법과 높이 방향으로 가는 방법의 합과 같습니다.

4 ㉮, ㉯, ㉰, ㉱의 네 지점 사이에 그림과 같이 길이 나 있습니다. 같은 지점은 한 번밖에 지나갈 수 없다고 할 때 ㉮에서 ㉱까지 갈 수 있는 방법은 몇 가지입니까?

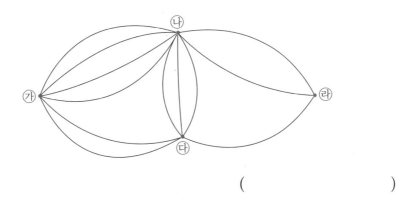

(   )

1 원기둥의 전개도를 모두 고르시오.

(   )

① 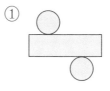　②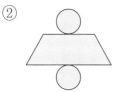

③ 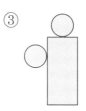　④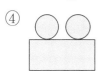

⑤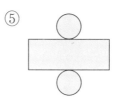

2 원뿔에서 모선의 길이와 높이는 각각 몇 cm입니까?

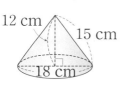

모선의 길이 (   )

높이 (   )

3 원기둥과 원뿔의 높이의 차는 몇 cm입니까?

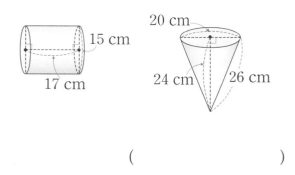

(   )

4 오른쪽 평면도형을 한 번 돌렸을 때 만들어지는 입체도형의 밑면의 둘레는 몇 cm입니까?

(원주율 : 3.14)

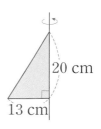

(   )

5 원기둥의 단면이 될 수 없는 것을 찾아 기호를 쓰시오.

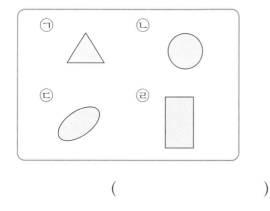

(   )

6 오른쪽 평면도형을 한 번 돌려 얻는 입체도형에 대하여 물음에 답하시오.

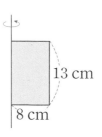

(1) 회전축을 품은 평면으로 자른 단면의 넓이는 몇 cm²입니까?

(   )

(2) 회전축에 수직인 평면으로 자른 단면의 넓이는 몇 cm²입니까? (원주율 : 3.1)

(   )

7 오른쪽 원기둥의 옆넓이를 구하시오. (원주율 : $3\frac{1}{7}$)

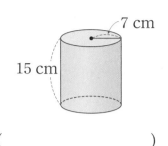

( )

8 다음 전개도로 만든 원기둥의 겉넓이를 구하시오. (원주율 : 3.14)

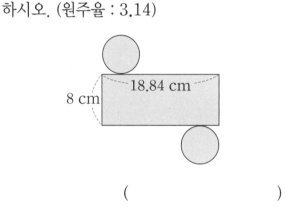

( )

9 원기둥의 높이가 9 cm이고 옆넓이가 226.08 cm²일 때, 겉넓이는 몇 cm²입니까? (원주율 : 3.14)

( )

10 다음 그림과 같이 밑면의 반지름이 2 cm 이고, 높이가 5 cm인 원기둥이 있습니다. 이 원기둥의 반지름과 높이를 각각 2배로 늘여 새로운 원기둥을 만들었을 때, 새로 만든 원기둥의 부피는 처음 원기둥의 부피의 몇 배가 됩니까? (원주율 : 3)

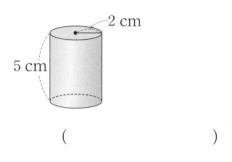

( )

11 오른쪽 그림과 같이 원기둥 모양으로 속이 뚫린 입체도형의 부피를 구하시오. (원주율 : 3.14)

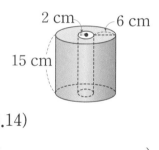

( )

12 오른쪽 그림은 원기둥의 $\frac{1}{2}$입니다. 이 입체도형의 부피를 구하시오. (원주율 : 3.1)

( )

다음 그림과 같이 직사각형을 화살표 방향으로 1초에 2 cm씩 이동시킬 때 물음에 답하시오. [13~14]

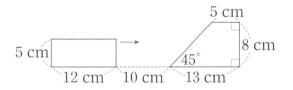

13 직사각형과 사다리꼴이 겹친 부분의 넓이가 처음으로 8 cm²가 되는 때는 직사각형이 출발하여 몇 초 후입니까?

( )

14 직사각형과 사다리꼴이 겹친 부분의 넓이가 최대가 될 때 겹친 부분의 넓이를 구하시오.

( )

15 다음과 같이 직사각형 ㄱㄴㄷㄹ을 ㉮ 위치부터 ㉯ 위치까지 한 바퀴 굴렸을 때 꼭짓점 ㄱ이 움직인 거리를 구하시오.

(원주율 : 3.14)

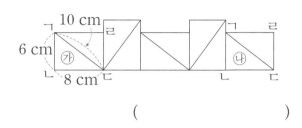

( )

16 한 변의 길이가 6 cm인 정삼각형 ㄱㄴㄷ을 ㉮ 위치부터 ㉯ 위치까지 한 바퀴 굴렸을 때 꼭짓점 ㄱ이 움직인 거리를 구하시오. (원주율 : 3.1)

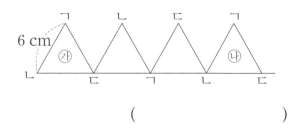

( )

17 다음과 같이 직사각형의 변을 따라 반지름이 4 cm인 원을 움직여 한 바퀴 돌아 처음의 위치까지 이동시킬 때, 원의 중심이 이동한 거리를 구하시오. (원주율 : 3)

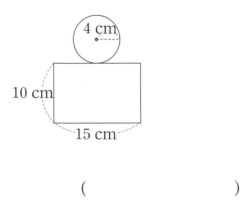

(   )

18 다음과 같이 한 변의 길이가 10 cm인 정삼각형의 변을 따라 반지름이 2 cm인 원을 한 바퀴 이동하여 처음의 자리에 왔을 때 원이 지나간 부분의 넓이를 구하시오.

(원주율 : 3.14)

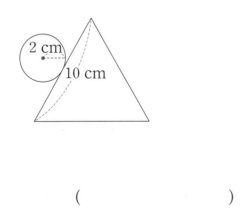

(   )

19 다음과 같이 직사각형 모양과 대각선으로 난 길이 있습니다. 길을 따라 ㉠에서 ㉡으로 가는 방법 중 가장 가까운 거리로 가는 방법은 몇 가지입니까?

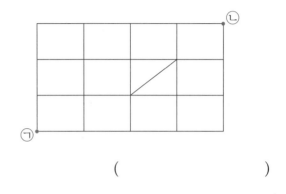

(   )

20 다음과 같은 모양으로 길이 나 있습니다. 한 번 지나간 지점은 다시 가지 않기로 할 때, ㉠에서 ㉡으로 가는 방법은 모두 몇 가지입니까?

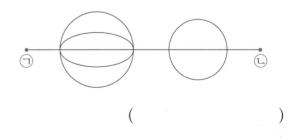

(   )

꼭 ✓ 알아야 할

도형

6학년이 꼭 ✓ 알아야 할 도형

정답과 풀이

(주)에듀왕

www.왕수학.com

1. 각기둥과 각뿔

1. (시계 방향으로) 모서리, 옆면, 밑면, 꼭짓점

2. 육각기둥 **3.** ④

4. 15개

5. (1) 1개 (2) 5개 (3) 오각뿔

6. 팔각뿔 **7.** 22개

8. (1) 오각뿔 (2) 육각기둥

---

4. (한 밑면의 변의 수)=39÷3=13(개)
한 밑면의 변의 수가 13개인 각기둥은 십삼각기둥입니다.
따라서 십삼각기둥의 면의 수는
13+2=15(개)입니다.

6. 밑면이 팔각형인 각뿔이므로 팔각뿔입니다.

7. 모서리의 수는 14개이고, 면의 수는 8개이므로 합은 14+8=22(개)입니다.

8. 각기둥과 각뿔의 모서리를 잘라서 펼쳐 놓은 그림을 각각 각기둥의 전개도, 각뿔의 전개도라고 합니다.

1. ㉡, ㉢, ㉣, ㉠

2. 삼각형, 오각형, 육각형 / 3, 5, 6 /
삼각기둥, 오각기둥, 육각기둥

3. 22 **4.** (1) 2 (2) 5 (3) 3

5. (1) 삼각뿔, 3, 4, 6, 4
(2) 사각뿔, 4, 5, 8, 5
(3) 육각뿔, 6, 7, 12, 7

6. ⑤ **7.** 팔각뿔

8. (1) 삼각기둥 (2) 사각기둥

9. (위에서부터) 4, 1, 2

10. 선분 ㅍㅎ **11.** 풀이 참조

12. ①

---

1. ㉠ 삼각뿔 ➡ 6개 ㉡ 오각기둥 ➡ 15개
㉢ 사각기둥 ➡ 12개 ㉣ 오각뿔 ➡ 10개

3. 십각기둥의 한 밑면의 변의 수가 10개이므로
모서리의 수는 10×3=30(개),
꼭짓점의 수는 10×2=20(개),
면의 수는 10+2=12(개)입니다.
따라서 ☐ 안에 알맞은 수는
30-20+12=22입니다.

4. (한 밑면의 변의 수)=■라 하면
(2) (꼭짓점의 수)+(모서리의 수)
=■×2+■×3=■×5
(3) (모서리의 수)×2=■×3×2
=■×2×3
=(꼭짓점의 수)×3

5. 각뿔의 각 부분의 개수
• 면의 수(개) ➡ (밑면의 변의 수)+1
• 모서리의 수(개) ➡ (밑면의 변의 수)×2
• 꼭짓점의 수(개) ➡ (밑면의 변의 수)+1
• 밑면의 수(개) : 1

6. ⑤ 오각뿔의 꼭짓점의 수는 6개입니다.

7. 각뿔에 대한 설명이며, 각뿔 중 팔각뿔입니다.

11.

12. 삼각뿔의 밑면은 삼각형이고 옆면도 모두 삼각형입니다.

은메달 따기

1. 192 cm **2.** 3가지

3. 4 cm **4.** 13 cm

5. 6 cm **6.** 60개

1. 면의 수가 10개인 각기둥은 팔각기둥입니다.
따라서 팔각기둥의 모서리의 수는 24개이므로
모든 모서리의 길이의 합은
$8 \times 24 = 192 (cm)$입니다.

2.

따라서 전개도를 3가지 그릴 수 있습니다.

3.

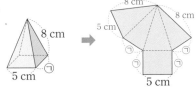

(전개도의 둘레)$= 8 \times 2 + 5 \times 2 + ㉠ \times 4$
$= 42 (cm)$
$16 + 10 + ㉠ \times 4 = 42$, $㉠ \times 4 = 16$,
$㉠ = 4 (cm)$

4. 밑면의 한 변을 □ cm라 하면
$(□ \times 8) \times 2 + 16 \times 8 = 336$, $□ = 13$입니다.

5. (전체 모서리의 길이의 합)
$=$ (한 밑면의 둘레) $\times 2 +$ (높이) $\times 8$
팔각기둥의 높이를 □라 하면
$56 \times 2 + □ \times 8 = 160$, $□ \times 8 = 48$,
$□ = 6 (cm)$입니다.

6. 각기둥의 한 밑면의 변의 수를 □라 하면, 각기
둥의 면의 수는 $(□ + 2)$개, 각뿔의 면의 수는
$(□ + 1)$개이므로 $(□ + 2) + (□ + 1) = 27$,
$□ \times 2 = 24$, $□ = 12$(개)입니다.
따라서 한 밑면의 변의 수가 12개인 십이각기
둥의 모서리의 수는 $12 \times 3 = 36$(개), 십이각뿔
의 모서리의 수는 $12 \times 2 = 24$(개)이므로 두 입
체도형의 모서리의 수의 합은
$36 + 24 = 60$(개)입니다.

금메달 따기

1. ㉢, ㉤, ㉦ **2.** 풀이 참조

3. ㉮ 십각기둥, ㉯ 사각기둥

4. 사각기둥, 104 cm **5.** 60 cm

6. 94 cm

1. 전개도를 접었을 때, 점 A와 맞닿는 점은 점 ㉠
입니다.
따라서 점 B가 되는 점은 점 ㉢, 점 ㉤, 점 ㉦입
니다.

2.

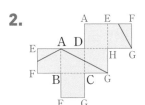

먼저 전개도에 기호를 써넣은 후 생각합니다.

3. ㉮를 □각기둥, ㉯를 △각기둥이라 하면
$\begin{cases} □ \times 2 - △ \times 3 = 8 \\ □ \times 3 + △ \times 3 = 42 \end{cases}$
또는 $\begin{cases} △ \times 3 - □ \times 2 = 8 \\ □ \times 3 + △ \times 3 = 42 \end{cases}$
두 식 중 □, △의 값이 자연수로 나오는 식은
위쪽 식으로 □ = 10, △ = 4입니다.
따라서 ㉮는 십각기둥, ㉯는 사각기둥입니다.

4.

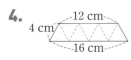

두 번째부터 생기는 각기둥은 모두 사각기둥입
니다. 일곱 번째 각기둥의 한 밑면의 둘레는 위
그림과 같이 36 cm입니다.
따라서 모서리의 길이의 합은
$36 \times 2 + 8 \times 4 = 104 (cm)$입니다.

5.

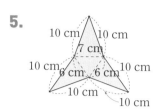

전개도의 둘레가 가장 길 때는 위쪽과 같습니다.
따라서 둘레는 $10 \times 6 = 60$(cm)입니다.

6.

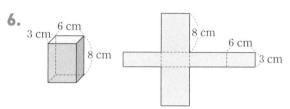

전개도의 둘레가 가장 길 때의 길이는 8 cm짜리가 8개, 6 cm짜리가 4개, 3 cm짜리가 2개일 때이므로
$8 \times 8 + 6 \times 4 + 3 \times 2 = 94$(cm)입니다.

2. 직육면체의 부피와 들이

개념 익히기
page. 15

1. 72 cm^3　　　**2.** 60개

3. (1) 2352 cm^3　(2) 3375 cm^3

4. (1) 7000000　(2) 12　(3) 4.8　(4) 376

5. (1) 68.25　(2) 25000000

6. (1) 924 mL　(2) 432 mL

1. 사용된 쌓기나무의 개수 : 72개
따라서 부피는 72 cm^3입니다.

2. 가 상자에 가로로 4개, 세로로 3개씩 5층으로 넣을 수 있으므로 모두 $4 \times 3 \times 5 = 60$(개)까지 넣을 수 있습니다.

3. (1) $21 \times 14 \times 8 = 2352$(cm³)
(2) $15 \times 15 \times 15 = 3375$(cm³)

4. $1 \text{ m}^3 = 1000000 \text{ cm}^3$,
$1000 \text{ cm}^3 = 1 \text{ L}$, $1 \text{ cm}^3 = 1 \text{ mL}$

5. (1) $7 \times 1.5 \times 6.5 = 68.25$(m³)
(2) $200 \times 500 \times 250 = 25000000$(cm³)

6. (1) $14 \times 11 \times 6 = 924$(cm³)$= 924$(mL)
(2) $6 \times 4 \times 18 = 432$(cm³)$= 432$(mL)

동네답따기
page. 16-19

1. 60, 125 / 60, 125　**2.** 84 cm^3

3. (1) 480개　(2) 480 cm^3

4. (1) 126 cm^3　(2) 90 cm^3

5. (1) 2464 cm^3　(2) 5328 cm^3

6. 라　　　　　　**7.** 75, 75000000

8. (1) 0.343 m^3　(2) 343000 cm^3

9. (1) 105　(2) 528000000

10. (1) 3000　(2) 4.2　(3) 8　(4) 9500

11. (1) 594 L　(2) 3.24 L

12. 25 cm

1. 쌓기나무의 개수와 부피가 같습니다.

2. 가로로 7줄, 세로로 3줄씩 4층으로 쌓아서 만든 것입니다.

3. (1) 가로에는 4개, 세로에는 10개, 높이에는 12개가 필요하므로 모두 $4 \times 10 \times 12 = 480$(개)가 필요합니다.

4. (1) $6 \times 7 \times 3 = 126$(cm³)
(2) $3 \times 5 \times 6 = 90$(cm³)

5. (1) $154 \times 16 = 2464$(cm³)
(2) $666 \times 8 = 5328$(cm³)

6. 가 : $27 \times 3 \times 9 = 729 (\text{cm}^3)$
　　나 : $6 \times 6 \times 6 = 216 (\text{cm}^3)$
　　다 : $9 \times 9 \times 9 = 729 (\text{cm}^3)$
　　라 : $9 \times 8 \times 14 = 1008 (\text{cm}^3)$

8. $0.7 \times 0.7 \times 0.7 = 0.343 (\text{m}^3)$
　　　　　　　　$= 343000 (\text{cm}^3)$

9. (1) $500 \times 700 \times 300 = 105000000 (\text{cm}^3)$
　　　　　　　　　　　　$= 105 (\text{m}^3)$
　　(2) $11 \times 6 \times 8 = 528 (\text{m}^3)$
　　　　　　　　　$= 528000000 (\text{cm}^3)$

11. (1) $90 \times 60 \times 110 = 594000 (\text{cm}^3)$이므로
　　　 594 L입니다.
　　(2) $24 \times 15 \times 9 = 3240 (\text{cm}^3)$이므로 3.24 L
　　　 입니다.

12. $9 \text{ L} = 9000 \text{ cm}^3$
　　➡ $9000 \div (24 \times 15) = 25 (\text{cm})$

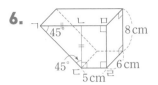

6. 왼쪽 그림에서 삼각형 ㄱㄴㄷ은 한 각이 직각인 이등변삼각형이므로 선분 ㄱㅁ의 길이는
$8 + 5 = 13 (\text{cm})$입니다.
따라서 사다리꼴 ㄱㄷㄹㅁ의 넓이는
$(13 + 5) \times 8 \div 2 = 72 (\text{cm}^2)$이고,
사다리꼴 ㄱㄷㄹㅁ의 넓이를 밑면의 넓이로 하면
높이는 6 cm이므로 입체도형의 부피는
$72 \times 6 = 432 (\text{cm}^3)$입니다.

금메달따기　　　　page. 22~23

1. 67.5 L	**2.** 0.24 m³
3. 864 cm³	**4.** 12 cm
5. 84 cm²	**6.** 7.5 cm

1. 상자를 만들면 가로는 90 cm, 세로는 50 cm, 높이는 15 cm가 됩니다.
$90 \times 50 \times 15 = 67500 (\text{cm}^3)$ ➡ 67.5 L

2. 거북이 모양의 모형을 넣어 25 cm만큼 즉 0.25 m만큼 물의 높이가 올라갔으므로
(부피)$= 0.8 \times 1.2 \times 0.25 = 0.24 (\text{m}^3)$입니다.

3. $15 \times 9 \times 8 - (4 \times 3 \times 9) \times 2$
$= 1080 - 216 = 864 (\text{cm}^3)$
별해
(밑넓이)$= 15 \times 8 - 4 \times 3 \times 2 = 120 - 24$
　　　　　$= 96 (\text{cm}^2)$
라 하면 높이가 9 cm이므로
(부피)$= 96 \times 9 = 864 (\text{cm}^3)$입니다.

4. 처음 들어 있던 물의 부피는
$12 \times 5 \times 16 = 960 (\text{cm}^3)$
선분 ㄱㄴ의 길이를 □ cm라 하면 남아 있는 물의 부피는
$\{(\square + 16) \times 12 \div 2\} \times 5$이므로
$\{(\square + 16) \times 12 \div 2\} \times 5 = 960 - 120$
$(\square + 16) \times 6 = 168, \square + 16 = 28, \square = 12$

은메달따기　　　　page. 20~21

1. 3200 cm³	**2.** 480 cm³
3. 21 cm³	**4.** 600 cm³
5. 84 cm³	**6.** 432 cm³

1. $(18 \times 15 - 10 \times 7) \times 16 = 3200 (\text{cm}^3)$

2. 밑면의 넓이를 $3 \times 5 + 4 \times 2 + 3 \times 3 = 32 (\text{cm}^2)$
라 하면 부피는 $32 \times 15 = 480 (\text{cm}^3)$입니다.

3. $3 \times 4 \div 2 \times 3.5 = 21 (\text{cm}^3)$

4. 돌의 부피는 늘어난 물의 부피와 같습니다.
따라서 $20 \times 15 \times 2 = 600 (\text{cm}^3)$입니다.

5. 직육면체의 부피에서 삼각기둥의 부피를 빼서 구합니다.
따라서 $3 \times 4 \times 8 - 3 \times 4 \div 2 \times 2 = 84 (\text{cm}^3)$
입니다.

5. (들어 있는 물의 양)=$20 \times 15 \div 2 \times 28$
$= 4200(\text{cm}^3)$

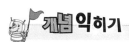

전체 물의 양은 변화가 없으므로 면 ㄱㄴㄷ에 물이 닿는 부분은 왼쪽과 같습니다. 따라서 밑면이 사다리꼴이고 높이가 50 cm인 사각기둥이 되므로 면 ㄱㄴㄷ에 물이 닿는 부분의 넓이는 $4200 \div 50 = 84(\text{cm}^2)$입니다.

6. (처음 물통에 들어 있던 물의 양)
$= 16 \times 15 \times 5 = 1200(\text{cm}^3)$
막대를 넣었을 때 물의 높이를 $\square$ cm라 하면
$16 \times 15 \times \square - 12 \times 12 \times \square = 1200$,
$\square = 12.5$입니다.
따라서 물의 높이는 $12.5 - 5 = 7.5(\text{cm})$ 올라갔습니다.

3. 직육면체의 겉넓이

개념익히기
page. 25

1. 14, 84, 112, 48, 488
2. (1) 36 cm² (2) 216 cm²
3. 132 cm²
4. (1) 5, 3, 94 (2) 12, 3, 4, 5, 94
5. 8, 8, 384

2. (1) $6 \times 6 = 36(\text{cm}^2)$
(2) $36 \times 6 = 216(\text{cm}^2)$
3. $(8 \times 2) \times 2 + (8 + 2 + 8 + 2) \times 5$
$= 32 + 100 = 132(\text{cm}^2)$

동네답따기
page. 26~29

1. 132 cm²	**2.** 150 cm²
3. 88 cm²	**4.** 8 cm
5. 126 cm²	**6.** 450 cm²
7. 146 cm²	**8.** 24 cm²
9. 96 cm²	**10.** ㉮, ㉱, ㉰, ㉯
11. 7 cm	**12.** 4

1. $5 \times 2 \times 2 + (5 + 2 + 5 + 2) \times 8$
$= 20 + 112 = 132(\text{cm}^2)$

2. (정육면체의 겉넓이)=(한 면의 넓이)$\times 6$
$= 5 \times 5 \times 6$
$= 150(\text{cm}^2)$

3. 밑면의 세로의 길이는 $16 \div 2 - 2 = 6(\text{cm})$이므로 겉넓이는 $2 \times 6 \times 2 + 16 \times 4 = 24 + 64$
$= 88(\text{cm}^2)$입니다.

4. 한 면의 넓이는 $384 \div 6 = 64(\text{cm}^2)$이므로 $64 = 8 \times 8$에서 한 모서리의 길이는 8 cm입니다.

5. (옆면의 넓이)=(한 밑면의 둘레)$\times$(높이)
$= 18 \times 7 = 126(\text{cm}^2)$

6.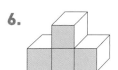

색칠한 부분을 밑면으로 생각하여 구합니다.
따라서 밑면의 넓이는 $25 \times 4 = 100(\text{cm}^2)$,
옆면의 넓이는
$(15 + 10) \times 2 \times 5 = 250(\text{cm}^2)$이므로
$100 \times 2 + 250 = 450(\text{cm}^2)$입니다.

7. $(9 \times 5) \times 2 + (9 + 5 + 9 + 5) \times 2$
$= 90 + 56 = 146(\text{cm}^2)$

8. 가 : $(4 \times 5) \times 2 + (4 + 5 + 4 + 5) \times 4$
$= 40 + 72 = 112(\text{cm}^2)$

나 : $(6 \times 4) \times 2 + (6+4+6+4) \times 2$
$= 48 + 40 = 88 (\mathrm{cm}^2)$
➡ $112 - 88 = 24 (\mathrm{cm}^2)$

9. $(4 \times 4) \times 6 = 96 (\mathrm{cm}^2)$

10. ㉮ $(5 \times 7) \times 2 + (5+7+5+7) \times 3$
$= 70 + 72 = 142 (\mathrm{cm}^2)$
㉯ $(6 \times 4) \times 2 + (6+4+6+4) \times 4$
$= 48 + 80 = 128 (\mathrm{cm}^2)$
㉰ $(3 \times 3) \times 2 + (3+3+3+3) \times 10$
$= 18 + 120 = 138 (\mathrm{cm}^2)$
㉱ $(5 \times 4) \times 2 + (5+4+5+4) \times 5$
$= 40 + 90 = 130 (\mathrm{cm}^2)$

11. (겉넓이)$=$(한 밑면의 넓이)$\times 2 +$(옆넓이)이므로 높이를 □cm라 하면
$(15 \times 5) \times 2 + (15+5+15+5) \times □ = 430,$
$150 + 40 \times □ = 430, □ = 7$

12.

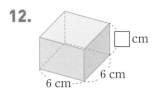

직육면체를 돌려서 □cm를 높이라 하면
$(6 \times 6) \times 2 + (6+6+6+6) \times □ = 168$
$72 + 24 \times □ = 168, □ = 4$

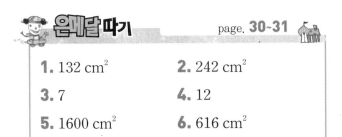 page. 30-31

1. $132 \, \mathrm{cm}^2$	**2.** $242 \, \mathrm{cm}^2$
3. 7	**4.** 12
5. $1600 \, \mathrm{cm}^2$	**6.** $616 \, \mathrm{cm}^2$

1. 삼각형을 밑면으로 생각하면 밑면의 넓이는
$3 \times 4 \div 2 = 6 (\mathrm{cm}^2),$
옆면의 넓이는 $(3+4+5) \times 10 = 120 (\mathrm{cm}^2)$
이므로 겉넓이는 $6 \times 2 + 120 = 132 (\mathrm{cm}^2)$입니다.

2.

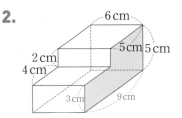

색칠한 부분을 밑면으로 보면
밑면의 넓이는 $9 \times 5 - 4 \times 2 = 37 (\mathrm{cm}^2),$
옆면의 넓이는 $(9+5) \times 2 \times 6 = 168 (\mathrm{cm}^2)$이
므로 겉넓이는 $37 \times 2 + 168 = 242 (\mathrm{cm}^2)$입
니다.

3. $12 \times 12 \times 6 = 864 (\mathrm{cm}^2)$이므로
$864 = 30 \times 6 \times 2 + (30+6) \times 2 \times □$에서
$□ = 7$입니다.

4. 색칠한 부분을 밑면으로
하는 직육면체는 오른쪽
그림과 같으므로
$□ = (416 - 40 \times 2)$
$\div (10+4+10+4)$
$= 12$

5. 오른쪽 모양을 밑면으로 생각하
여 겉넓이를 구합니다.
밑면의 넓이는
$18 \times 7 + 8 \times 13 = 230 (\mathrm{cm}^2),$
옆면의 넓이는
$(18+20) \times 2 \times 15 = 1140 (\mathrm{cm}^2)$이므로
$230 \times 2 + 1140 = 1600 (\mathrm{cm}^2)$입니다.

6. 왼쪽 모양을 밑면으로 생각
하면
(한 밑면의 넓이)
$= 2 \times 2 + 6 \times 4 + 10 \times 4$
$= 68 (\mathrm{cm}^2)$
(옆넓이)$= (10 \times 2 + 4 \times 4 + 2 \times 2) \times 12$
$= 480 (\mathrm{cm}^2)$
따라서 겉넓이는 $68 \times 2 + 480 = 616 (\mathrm{cm}^2)$입
니다.

 page. 32~33

1. 504 cm² **2.** 80 cm
3. 78 cm² **4.** 15
5. 960 cm² **6.** 1728 cm²

1. $(6 \times 6 \times 6) \times 3 - (6 \times 6 \times 4)$
$= 648 - 144 = 504 (cm^2)$

밀해

하나의 직육면체로 생각하면
(겉넓이) $= (18 \times 6) \times 2 + (18 + 6 + 18 + 6) \times 6$
$= 216 + 288$
$= 504 (cm^2)$

2. 높이를 □cm라 하면
$56 \times 2 + 30 \times □ = 262$,
$30 \times □ = 150$, □ $= 5$
이때, 모서리의 길이의 합은
(밑면의 둘레) $\times 2 +$ (높이) $\times 4$이므로
$30 \times 2 + 5 \times 4 = 60 + 20 = 80 (cm)$입니다.

3. $15 \times 2 + 16 \times 3 = 30 + 48 = 78 (cm^2)$

4. 옆면의 넓이는 밑면의 둘레와 높이와의 곱이므로 밑면의 둘레는 $1376 \div 16 = 86 (cm)$이어야 합니다.
따라서 $(□ + 28) \times 2 = 86$, □ $+ 28 = 43$
이므로 □ $= 15$입니다.

5. 구멍을 파기 전 직육면체의 겉넓이와 파여진 사각기둥의 옆면의 넓이와의 합으로 구합니다.
따라서 $(10 \times 10 \times 2 + 40 \times 15) + (16 \times 10)$
$= 960 (cm^2)$입니다.

6. 겉넓이가 가장 작아지도록 쌓으려면 정육면체에 가깝도록 쌓아야 합니다.
$180 = 5 \times 6 \times 6$이므로 쌓은 모양은 다음과 같습니다.

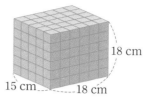

따라서 직육면체의 겉넓이는
$(15 \times 18) \times 2 + (15 + 18 + 15 + 18) \times 18$
$= 1728 (cm^2)$입니다.

4. 쌓기나무

개념익히기 page. 35

1. (1) 7개 (2) 8개 **2.** 나
3. 25개 **4.** 풀이 참조
5. 풀이 참조 **6.** 7개

1. 각 층별로 쌓인 쌓기나무 개수를 더해서 전체 쌓기나무 개수를 구합니다.

2. 가 : 9개, 나 : 11개

3. $5 \times 5 = 25 (개)$

4.

쌓기나무를 위에서 본 모양은 1층에 놓인 쌓기나무 모양과 같고, 앞, 옆에서 본 모양은 각 방향에서 각 줄의 가장 높은 층의 모양을 생각합니다.

5.

6.

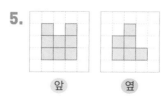 위에서 본 모양은 왼쪽 그림과 같습니다.

등때답따기

page. 36~39

1. (1) 10개 (2) 12개   **2.** 3개

3. 7개   **4.** 4개

5. 18개   **6.** 25개

7. (   ) (○) (   )   **8.** 풀이 참조

9. (1) 7개 (2) 8개   **10.** 풀이 참조

11. 풀이 참조   **12.** 42개

1. (1) ➡ 3＋1＋1＋3＋2＝10(개)

(2) 1층 : 6개 2층 : 4개 3층 : 2개
➡ 6＋4＋2＝12(개)

2. 필요한 쌓기나무의 개수는 1층에 6개, 2층에 2개, 3층에 1개로 모두 9개입니다.
따라서 더 필요한 쌓기나무의 개수는
9－6＝3(개)입니다.

3. ➡ 2＋3＋1＋1＝7(개)

4. 2층에 놓인 쌓기나무는 3개, 3층에 놓인 쌓기나무는 1개이므로 모두 3＋1＝4(개)입니다.

5. 가 : 9개 나 : 10개 다 : 8개
따라서 사용된 쌓기나무의 개수가 가장 많은 것은 나이고 가장 적은 것은 다이므로 개수의 합은 10＋8＝18(개)입니다.

6.  네 번째 모양은 왼쪽의 그림과 같습니다.
따라서 쌓기나무는 모두
1＋3＋5＋7＋9＝25(개)
필요합니다.

8.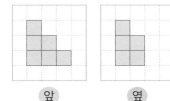

위   앞   옆

10.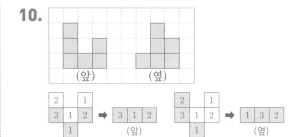
(앞)   (옆)

➡ (앞)   ➡ (옆)

11.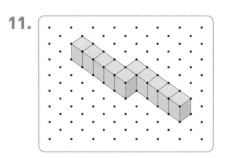

아래층으로 내려갈수록 두 방향으로 쌓기나무가 1개씩 늘어나는 규칙입니다.
1층에는 6＋2＋2＝10(개)의 쌓기나무가 놓입니다.

12. 10층 : 1×2＝2(개), 9층 : 2×3＝6(개),
8층 : 3×4＝12(개), 7층 : 4×5＝20(개),
6층 : 5×6＝30(개), 5층 : 6×7＝42(개)

음때답따기

page. 40~41

1. 55개   **2.** 36개

3. ⓵, ㉮, ㉰, ㉯   **4.** 8개

5. 9층   **6.** 378개

1. 정육면체가 되려면 쌓기나무가 1개, 8개, 27개, 64개, …로 있어야 합니다.
주어진 모양에 사용된 쌓기나무가 9개이고, 4층으로 쌓여져 있으므로 한 모서리에 4개의 쌓기나무가 놓이는 정육면체를 만들 수 있습니다.
따라서 필요한 쌓기나무는 최소한
64－9＝55(개)입니다.

2. 쌓은 모양을 각 방향에서 보았을 때 보이는 모든 면의 개수를 구합니다.
따라서 (6＋6＋6)×2＝36(개)입니다.

3.

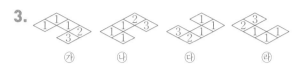

㉮　㉯　㉰　㉱

4. 바탕 그림이 다음과 같을 때, 쌓기나무의 개수
는 최소가 되며, 필요한 개수는

　　　　　　$1+1+3+2+1=8$(개)입니다.

5. $1+3+5+7+9+\cdots+17=81$(개)이므로
$(17-1)\div2+1=9$(층)입니다.

6. 28층 ➡ 1개
27층 ➡ 2개　　따라서
26층 ➡ 3개　　$1+2+3+4+5+\cdots+27$
⋮　　⋮　　$=(1+27)\times27\div2$
2층 ➡ 27개　　$=378$(개)

금메달따기

 page. 42~43

1. 30번　　　　**2.** 134개

3. 5번　　　　**4.** 53개

5. 5가지　　　**6.** 18개, 32개

1. 앞뒤로 붙일 경우 ➡ $1+3+6=10$(번)
좌우로 붙일 경우 ➡ $1+3+6=10$(번)
상하로 붙일 경우 ➡ $1+3+6=10$(번)
따라서 $10+10+10=30$(번) 붙여야 합니다.

별해
쌓기나무 한 면의 넓이를 1로 생각하면 쌓기나
무 20개의 겉넓이는 $20\times6=120$입니다.
쌓아 놓은 모양에서의 겉넓이는
$(1+2+3+4)\times6=60$이므로 겹쳐져서 보
이지 않는 면은 $120-60=60$(개)입니다.
따라서 $60\div2=30$(번) 붙여야 합니다.

2. 5층까지 쌓았을 때 위와 아래에서 보이는 면은
각각 17개씩이고, 앞, 뒤, 왼쪽 옆, 오른쪽 옆에
서 보이는 면은 각각 25개씩이므로
페인트를 칠한 면의 수는
$17\times2+25\times4=134$(개)입니다.

3. 정육면체를 가로, 세로 높이 방향으로 자른 횟
수가 늘어남에 따라 한 면도 색이 칠해지지 않
은 정육면체의 개수가 늘어납니다.
1번씩 자를 때 : 0개
2번씩 자를 때 : 1개
3번씩 자를 때 : $2\times2\times2=8$(개)
4번씩 자를 때 : $3\times3\times3=27$(개)
5번씩 자를 때 : $4\times4\times4=64$(개)
따라서 가로, 세로, 높이 방향으로 각각 5번씩
자를 때 색이 칠해지지 않은 작은 정육면체의
개수는 64개가 됩니다.

4. (처음 쌓기나무의 개수)$=4\times4\times4=64$(개)
(빼낸 후 쌓기나무의 개수)
$=1+2+3+2+2+1=11$(개)
따라서 빼낸 쌓기나무는 $64-11=53$(개)입니다.

5.

6. 예

　　최소　　　　최대

	1	
1	1	3
1	1	1	1	3
1	1	2
	1	

	3	
3	3	3
3	3	3	3	3
2	2	2
	1	

5. 원의 둘레와 넓이

개념익히기

 page. 45

1. (1) 둘레　(2) (원주)÷(지름)
(3) 일정합니다.

2. 9, 3.14, 28.26　　**3.** 100.48 cm

4. 4, 4, 3, 48

5. 198.4 cm^2

6. 6, 3.14, 2, 3, 3.14, 2, 56.52, 14.13,
42.39

2. (원주)=(반지름)×2×(원주율)
  =(지름)×(원주율)

3. $12×3.14+20×3.14$
  $=37.68+62.8=100.48(cm)$

4. (원의 넓이)=(반지름)×(반지름)×(원주율)

5. $8×8×3.1=198.4(cm^2)$

 동네답따기 page. 46-49

1. (1) 21.7 cm   (2) 24.8 cm
2. 56.52 cm   **3.** 51.4 cm
4. (1) 78.5 cm²   (2) 50.24 cm²
5. 96 cm²
6. 50.24 cm² / 7 cm, $7×7×3.14$,
  153.86 cm² / 7 cm, 38.465 cm²
7. (1) 200.96 cm²   (2) 379.94 cm²
8. (1) 83.7 cm²   (2) 22.5 cm²
9. 4배   **10.** 150.72 cm²
11. 348 cm²   **12.** 28.5 cm²

1. (1) $7×3.1=21.7(cm)$
  (2) $4×2×3.1=24.8(cm)$

2. (색칠한 부분의 둘레의 길이)
  $=(지름이 18 cm인 원의 원주의 \frac{1}{2})$
  $+(지름이 12 cm인 원의 원주의 \frac{1}{2})$
  $+(지름이 6 cm인 원의 원주의 \frac{1}{2})$
  $=(18×3.14×\frac{1}{2})+(12×3.14×\frac{1}{2})$
  $+(6×3.14×\frac{1}{2})$
  $=28.26+18.84+9.42=56.52(cm)$

3. (색칠한 부분의 둘레의 길이)
  $=(반지름이 5 cm인 원의 원주)×\frac{1}{2}×2$
  $+(정사각형의 한 변)×2$
  $=(5×2×3.14)×\frac{1}{2}×2+(10×2)$
  $=51.4(cm)$

4. (1) $5×5×3.14=78.5(cm^2)$
  (2) $4×4×3.14=50.24(cm^2)$

5. (나 원의 넓이)-(가 원의 넓이)
  $=(9×9×3)-(7×7×3)$
  $=243-147=96(cm^2)$

7. (1) $8×8×3.14=200.96(cm^2)$
  (2) $11×11×3.14=379.94(cm^2)$

8. (1) $(6×6×3.1)-(3×3×3.1)$
  $=111.6-27.9=83.7(cm^2)$
  (2) $(10×10)-(5×5×3.1)$
  $=100-77.5=22.5(cm^2)$

9. (반지름이 3 cm인 원의 넓이)
  $=3×3×3.14=28.26(cm^2)$
  (반지름이 6 cm인 원의 넓이)
  $=6×6×3.14=113.04(cm^2)$
  따라서 원의 넓이는 $113.04÷28.26=4(배)$로 늘어납니다.

10. 가장 큰 원에서 반지름이 6 cm, 4 cm인 두 원의 넓이를 뺍니다.
  (색칠한 부분의 넓이)
  $=10×10×3.14-6×6×3.14-4×4×3.14$
  $=314-113.04-50.24=150.72(cm^2)$

11. (원의 넓이)+(직사각형의 넓이)
  $=(6×6×3)+(20×12)=348(cm^2)$

12. (색칠한 부분의 넓이)
  =(원의 넓이)-(마름모의 넓이)
  $=5×5×3.14-10×10÷2$
  $=78.5-50=28.5(cm^2)$

 **은메달 따기**　page. 50-51

1. 24 cm² 　　　　**2.** 78.5 cm²

3. 66.24 cm 　　　**4.** 122.8 cm

5. 28.56 cm, 44.56 cm²

6. 29 cm

1. (색칠한 부분의 넓이)

＝(큰 원의 넓이)－(작은 반원의 넓이)×4

$=4\times4\times3-2\times2\times3\times\dfrac{1}{2}\times4$

$=48-24=24(\text{cm}^2)$

2. (가 원의 원주)＝2×2×3.14＝12.56(cm)

(나 원의 지름)＝(43.96－12.56)÷3.14

＝10(cm)

(나 원의 반지름)＝10÷2＝5(cm)

(나 원의 넓이)＝5×5×3.14＝78.5(cm²)

3. 반원의 지름은 48÷6＝8(cm)입니다.

(색칠한 부분의 둘레의 길이)

＝(반원의 곡선 길이)×4＋(직사각형의 세로의 길이)×2

$=(8\times3.14\times\dfrac{1}{2})\times4+8\times2$

＝66.24(cm)

4. 20×3＋20×3.14＝60＋62.8＝122.8(cm)

5. (색칠한 부분의 둘레의 길이)

＝2×4×2＋4×3.14

＝16＋12.56＝28.56(cm)

(색칠한 부분의 넓이)

＝8×4＋2×2×3.14

＝32＋12.56＝44.56(cm²)

6. (색칠한 부분의 둘레의 길이)

＝(반지름이 7 cm인 원주의 $\dfrac{1}{4}$)

　＋(지름이 7 cm인 원주의 $\dfrac{1}{2}$)

　＋(정사각형의 한 변의 길이)

$=(7\times2\times3\dfrac{1}{7}\times\dfrac{1}{4})+(7\times3\dfrac{1}{7}\times\dfrac{1}{2})+7$

＝11＋11＋7＝29(cm)

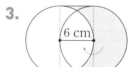 **금메달 따기**　page. 52-53

1. 81 cm² 　　　　**2.** 134.2 cm

3. 49.2 cm, 72 cm² 　**4.** 6.75 cm²

5. 85.5 cm² 　　　　**6.** 14.25 cm²

1. 색칠한 부분의 넓이는 밑변이 18 cm, 높이가 9 cm인 삼각형의 넓이와 같습니다.

(색칠한 부분의 넓이)＝18×9÷2

＝81(cm²)

2. (선분 ㄱㄴ과 선분 ㄹㄷ의 길이의 합)

＝20×2＝40(cm)

(반원의 둘레의 길이)×2

＝(원주)＝30×3.14＝94.2(cm)

➡ 40＋94.2＝134.2(cm)

3.

[그림: 6 cm 표시가 있는 두 원이 겹쳐진 모양]

(둘레의 길이)＝6×2×3.1＋6×2

＝49.2(cm)

(넓이)＝6×12＝72(cm²)

4. 중심이 점 ㄱ, ㄴ, ㄷ인 원의 반지름의 길이를 *a*, *b*, *c*라 하면

$a+b=4$, $b+c=5$, $c+a=6$에서

$a+b+c=7.5$, $b=7.5-6=1.5$

따라서 중심이 점 ㄴ인 원의 넓이는

1.5×1.5×3＝6.75(cm²)입니다.

5. (색칠한 부분의 넓이)

＝(반지름이 20 cm인 원의 넓이의 $\dfrac{1}{4}$)

　－(윗변이 10 cm, 아랫변이 20 cm,

　　　높이가 10 cm인 사다리꼴의 넓이)

　－(반지름이 10 cm인 원의 넓이의 $\dfrac{1}{4}$)

$=20\times20\times3.14\times\dfrac{1}{4}-(10+20)\times10$

$\div2-10\times10\times3.14\times\dfrac{1}{4}$

＝314－150－78.5＝85.5(cm²)

6. 오른쪽 그림과 같이 이동시
키면
(색칠한 부분의 넓이)
= (반지름이 10 cm인 원
의 넓이의 $\frac{1}{8}$)
− (밑변이 10 cm, 높이가 5 cm인 삼각형의
넓이)
= $10 \times 10 \times 3.14 \times \frac{1}{8} - 10 \times 5 \div 2$
= $39.25 - 25 = 14.25 \, (cm^2)$

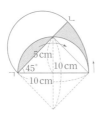

중간 평가   page. 54-57

1. ①, ⑤	**2.** 3쌍
3. 4개	**4.** 8, 6 / 10
5. ③	**6.** 2640 cm³
7. 343 cm³	**8.** 0.364 m³
9. 240 cm²	**10.** 8
11. 2700 cm³	
12. 846 cm², 1530 cm³	
13. 다	**14.** 56개
15. 8개	**16.** ④
17. 180, 240	**18.** 28.26 cm
19. 89.1 cm²	**20.** 182.8 cm

3. 모서리 ㄱㄴ, 모서리 ㄷㄹ, 모서리 ㅁㅂ,
모서리 ㅅㅇ

6. $15 \times 22 \times 8 = 2640 \, (cm^3)$

7. 한 모서리의 길이가 7 cm인 정육면체이므로
부피는 $7 \times 7 \times 7 = 343 \, (cm^3)$입니다.

8. (물의 부피) = $40 \times 70 \times 130$
$= 364000 \, (cm^3) = 0.364 \, (m^3)$

9. $(6 \times 6) \times 2 + (6 \times 7) \times 4 = 240 \, (cm^2)$

10. $\square = \{246 - (3 \times 9 \times 2)\} \div (3 + 9 + 3 + 9)$
$= 8$

11. $25 \times 18 \times 6 = 2700 \, (cm^3)$

12. (겉넓이) = $(15 \times 10) \times 2 + (10 \times 12) \times 2$
$+ (15 \times 12 - 9 \times 3) \times 2$
$= 300 + 240 + 306 = 846 \, (cm^2)$
(부피) = $15 \times 10 \times 12 - 9 \times 10 \times 3$
$= 1800 - 270 = 1530 \, (cm^3)$

13. 가 : 10개, 나 : 11개, 다 : 12개

14. $1 + 3 + 6 + 10 + 15 + 21 = 56 \, (개)$

15. 바탕 그림을 그려 모두 몇 개인지
알아봅니다.

16. ④ (원주) = (지름) × (원주율)
$= (반지름) \times 2 \times (원주율)$

17. (원 안의 정육각형의 넓이)
= (삼각형 ㄴㅇㄹ의 넓이) × 6
$= 30 \times 6 = 180 \, (cm^2)$
(원 밖의 정육각형의 넓이)
= (삼각형 ㄱㅇㄷ의 넓이) × 6
$= 40 \times 6 = 240 \, (cm^2)$

18. (큰 원의 원주) = $9 \times 2 \times 3.14 = 56.52 \, (cm)$
(작은 원의 원주) = $9 \times 3.14 = 28.26 \, (cm)$
➡ 차 : $56.52 - 28.26 = 28.26 \, (cm)$

19. $9 \times 9 \times 3.1 - 18 \times 18 \div 2 = 89.1 \, (cm^2)$

20.

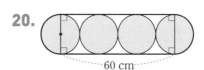

$60 \times 2 + 20 \times 3.14 = 182.8 \, (cm)$

6. 원기둥, 원뿔, 구

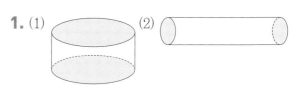

개념익히기

page. 59

1. ㉠ **2.** 6 cm

3. 나 **4.** 195.84 cm

5. (시계 방향으로) 밑면, 높이, 원뿔의 꼭짓점, 옆면, 모선

6. 15 cm

---

1. ㉠ 원기둥에는 두 밑면이 있습니다.

2. 원기둥에서 두 밑면의 수직인 선분의 거리를 높이라고 합니다.

3. 가 : 두 밑면과 맞닿는 옆면의 가로가 서로 다릅니다.
다 : 접었을 때 두 밑면이 겹칩니다.
라 : 두 밑면이 합동이 아닙니다.

4. 원기둥의 전개도에서 원의 둘레는 직사각형의 가로와 같습니다.
(전개도의 둘레)
$= (직사각형의 가로) \times 4 + (세로) \times 2$
$= 43.96 \times 4 + 10 \times 2$
$= 195.84 (cm)$

6. 모선의 길이는 75 cm이고 높이는 60 cm이므로 차는 $75 - 60 = 15 (cm)$입니다.

동메달따기

page. 60~63

1. 풀이 참조 **2.** ㉠

3. 원기둥, 원, 굽은 면, 2개, 1개 /
삼각기둥, 삼각형 직사각형, 2개, 3개

4. 나 **5.** 8, 50.24, 14

6. 두 밑면이 합동이 아니고 옆면이 직사각형이 아닙니다. / 가

---

7. 111.92 cm **8.** 가, 라

9.   **10.** 풀이 참조

11. ⑤

12. ①

---

1. (1) (2)

원기둥에서 서로 만나지 않는 두 면은 밑면입니다.

2. 원기둥에서 두 밑면에 수직인 선분의 길이를 나타내는 것을 찾아봅니다.

4. 밑면은 옆면의 위와 아래에 각각 1개씩 있고 합동인지, 옆면은 직사각형인지 살펴봅니다.

5. 원기둥의 전개도에서 옆면의 세로는 원기둥의 높이와 같으므로 14 cm입니다.

7. 원기둥의 전개도에서 옆면인 직사각형의 가로는 $7 \times 2 \times 3.14 = 43.96 (cm)$이고
세로는 12 cm이므로 옆면의 둘레는
$(43.96 + 12) \times 2 = 111.92 (cm)$입니다.

10.

11. 회전축을 중심으로 좌우가 대칭인 것을 찾습니다.

12. ① 구는 어느 방향에서 보아도 모양이 같기 때문에 어느 방향에서 잘라도 자른 단면의 모양은 원이 됩니다.

은메달따기

page. 64~65

1. ㉣ **2.** 35.68 cm

3. 나, 라 **4.** 15 cm

5. 960 cm² **6.** 50.24 cm²

1. ㉠ 1개 ㉡ 1개 ㉢ 1개 ㉣ 무수히 많습니다.

2. (원기둥의 전개도의 둘레)
　＝18.84×4＋6×2＝87.36(cm)
　(원뿔의 전개도의 둘레)
　＝18.84×2＋7×2＝51.68(cm)
　따라서 전개도의 둘레의 차는
　87.36－51.68＝35.68(cm)입니다.

3. 원기둥을 회전축을 품은 평면, 회전축에 수직인
　평면, 회전축에 비스듬한 평면으로 자른 단면을
　각각 생각해 봅니다.

4. 원뿔과 원기둥을 회전축을 품은 평면으로 잘랐
　을 때, 생기는 단면은 다음과 같습니다.

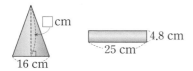

　원뿔의 높이를 □ cm라 하면
　16×□÷2＝25×4.8, □＝15입니다.
　따라서 원뿔의 높이는 15 cm입니다.

5. 직각삼각형을 변 ㄱㄷ을 축으로 하여 한 번 돌려
　얻는 입체도형과 그것을 회전축을 품은 평면으
　로 잘랐을 때 생기는 단면은 다음과 같습니다.

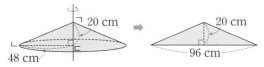

　따라서 단면의 넓이는
　96×20÷2＝960(cm²)입니다.

6. 전개도로 만들어지는 입체도형은 원기둥입니다.
　원기둥을 회전축에 수직인 평면으로 자른 단면의
　모양은 밑면의 모양과 같습니다.
　단면인 원의 둘레는
　(122.48－11×2)÷4＝25.12(cm)이고 원의
　반지름은 25.12÷3.14÷2＝4(cm)입니다.
　따라서 단면인 원의 넓이는
　4×4×3.14＝50.24(cm²)입니다.

page. 66~67

1. 565.2 cm²	**2.** 15개
3. 66 cm²	**4.** 276 cm²
5. 32.5 cm²	**6.** 13 cm

1. 원기둥을 펼쳐 보면 옆면은 직사각형이고, 가로
　는 밑면의 둘레 9×2×3.14＝56.52(cm)와
　같습니다. 따라서 실로 나누어진 위쪽 부분의
　넓이는 56.52×20÷2＝565.2(cm²)입니다.

2. 원뿔에서 모선의 길이는 모두 같습니다. 따라서
　원뿔의 꼭짓점과 밑면의 둘레에 있는 점 중 어떤
　점이라도 두 점을 이으면 이등변삼각형입니다.
　원뿔의 꼭짓점을 ㅅ이라 하면 삼각형 ㄱㄴㅅ과
　크기가 같은 이등변삼각형이 6개, 삼각형 ㄱㄷ
　ㅅ과 크기가 같은 이등변삼각형이 6개, 삼각형
　ㄱㄹㅅ과 크기가 같은 이등변삼각형이 3개이므
　로 모두 15개의 이등변삼각형을 만들 수 있습
　니다.

3.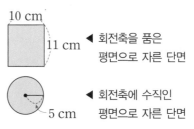
　(넓이)＝{(4＋7)×12}÷2
　　　　＝66(cm²)

4. (넓이)＝(6×3÷2)＋(6×5)＋{(6＋16)
　　　　×7÷2}＋(16×10)＝276(cm²)

5. 평면도형을 회전축을 중심으로 하여 한 번 돌려
　서 만든 회전체는 밑면의 반지름이 5 cm이고
　높이가 11 cm인 원기둥입니다. 이것을 자른 단
　면은 다음과 같습니다.

10 cm
11 cm ◀ 회전축을 품은
　　　　평면으로 자른 단면

5 cm ◀ 회전축에 수직인
　　　　평면으로 자른 단면

　따라서 단면의 넓이의 차는
　10×11－5×5×3.1＝32.5(cm²)입니다.

6. 전개도로 만들어지는 입체도형은
   원뿔이고 회전축을 포함한 평면으
   로 자른 단면은 오른쪽과 같습니다.
   따라서 ㉠＝(40－14)÷2＝13(cm)입니다.

7. 원기둥의 겉넓이와 부피

page. **69**

1. (1) 3, 3, 28.26 (2) 3, 4, 75.36
   (3) 28.26, 75.36, 131.88
2. (1) 78.5 cm² (2) 251.2 cm²
   (3) 408.2 cm²
3. 8, 12, 37.2
4. 11, 11, 379.94 / 379.94, 20, 7598.8
5. 7, 7, 153.86 / 153.86, 1230.88

2. (1) $5 \times 5 \times 3.14 = 78.5$(cm²)
   (2) $5 \times 2 \times 3.14 \times 8 = 251.2$(cm²)
   (3) $78.5 \times 2 + 251.2 = 408.2$(cm²)

4. 원기둥의 밑면의 반지름과 높이를 알면 원기둥
   의 부피를 구할 수 있습니다.

동메달따기

page. **70-73**

1. 78.5, 188.4, 345.4
2. 180 cm²
3. (1) 533.8 cm² (2) 602.88 cm²
4. 967.2 cm²   5. 276.32 cm²
6. 4 cm
7. (1) 824.25 cm³ (2) 923.16 cm³
8. 10, 3, 9.3 / 279 cm³

9. (1) 923.16 cm³   (2) 1808.64 cm³
10. 1917 cm³   11. 4710 cm³
12. 나

2. (한 밑면의 넓이)＝$3 \times 3 \times 3 = 27$(cm²)
   (옆넓이)＝$3 \times 2 \times 3 \times 7 = 126$(cm²)
   (원기둥의 겉넓이)＝$27 \times 2 + 126$
   ＝180(cm²)

3. (1) $(5 \times 5 \times 3.14) \times 2 + 5 \times 2 \times 3.14 \times 12$
   ＝$157 + 376.8 = 533.8$(cm²)
   (2) $(8 \times 8 \times 3.14) \times 2 + 8 \times 2 \times 3.14 \times 4$
   ＝$401.92 + 200.96 = 602.88$(cm²)

4. (겉넓이)＝$(6 \times 6 \times 3.1) \times 2 + 12 \times 3.1 \times 20$
   ＝$223.2 + 744 = 967.2$(cm²)

5. 직사각형을 회전축을 중심으로 하여 한 번 돌려
   얻는 입체도형은 밑면의 반지름이 4 cm이고,
   높이가 7 cm인 원기둥입니다.
   (한 밑면의 넓이)＝$4 \times 4 \times 3.14$
   ＝50.24(cm²)
   (옆넓이)＝$4 \times 2 \times 3.14 \times 7 = 175.84$(cm²)
   (겉넓이)＝$50.24 \times 2 + 175.84$
   ＝276.32(cm²)

6. (한 밑면의 넓이)＝$6 \times 6 \times 3.14 = 113.04$(cm²)
   (옆넓이)＝$376.8 - 113.04 \times 2$
   ＝150.72(cm²)
   (원기둥의 높이)＝$150.72 \div (6 \times 2 \times 3.14)$
   ＝4(cm)

7. (1) (부피)＝$78.5 \times 10.5 = 824.25$(cm³)
   (2) (부피)＝$153.86 \times 6 = 923.16$(cm³)

8. (직육면체의 밑면의 가로)
   ＝$3 \times 2 \times 3.1 \times \frac{1}{2} = 9.3$(cm)
   (원기둥의 부피)＝$9.3 \times 3 \times 10 = 279$(cm³)

9. (1) $7 \times 7 \times 3.14 \times 6 = 923.16$(cm³)
   (2) $8 \times 8 \times 3.14 \times 9 = 1808.64$(cm³)

10. (가의 부피)＝$9 \times 9 \times 3 \times 6 = 1458$(cm³)
    (나의 부피)＝$15 \times 15 \times 3 \times 5 = 3375$(cm³)

따라서 가와 나의 부피의 차는
3375－1458＝1917(cm³)입니다.

11. (밑면의 반지름)＝20÷2＝10(cm)
(한 밑면의 넓이)＝10×10×3.14
＝314(cm²)
(원기둥의 부피)＝314×15＝4710(cm³)

12. (가의 부피)＝5×5×3.14×3＝235.5(cm³)
(나의 부피)＝4×4×3.14×5＝251.2(cm³)
(다의 부피)＝12.56×18＝226.08(cm³)

4. (한 밑면의 반지름)＝25.12÷3.14÷2
＝4(cm)
(원기둥의 부피)＝4×4×3.14×15
＝753.6(cm³)

5. 4×4×3×0.8＝38.4(cm³)

6. (나의 부피)÷(가의 부피)
＝(5×5×3.14×20)÷(19.625×8)
＝1570÷157＝10(번)

 은메달따기 page. **74-75**

1. 8680 cm²   **2.** 1004.8 cm²

3. 753.6 cm²   **4.** 753.6 cm³

5. 38.4 cm³   **6.** 10번

1. 페인트가 칠해진 부분의 넓이는 롤러의 옆넓이
의 5배와 같습니다.
따라서 페인트가 칠해진 부분의 넓이는
8×2×3.1×35×5＝8680(cm²)입니다.

2. 직사각형을 가로를 회전축으로 하여 한 번 돌려
얻는 입체도형은 다음과 같습니다.

따라서 입체도형의 겉넓이는
(8×8×3.14)×2+8×2×3.14×12
＝1004.8(cm²)입니다.

3. 밑면의 반지름을 □ cm라 하면
□×□×3.14＝113.04, □×□＝36,
□＝6입니다.
옆넓이는 6×2×3.14×14＝527.52(cm²)
입니다.
따라서 원기둥의 겉넓이는
113.04×2+527.52＝753.6(cm²)입니다.

금메달따기 page. **76-77**

1. 1632.8 cm²   **2.** 558 cm³

3. 1264 cm²   **4.** 4212 mL

5. 10676 cm³   **6.** 1230.88 cm²

1. (겉넓이)＝10×10×3.14×2+20×3.14×10
+6×2×3.14×10
＝628+628+376.8
＝1632.8(cm²)

2. (6×6×3.1)×(4+6)÷2＝558(cm³)

3. 사용한 종이의 가로는 다음과 같이 두 원을 둘러
싼 길이보다 1.52 cm 더 깁니다.

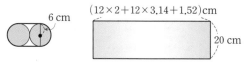

(사용한 종이의 넓이)
＝(12×2+12×3.14+1.52)×20
＝1264(cm²)

4. (원기둥의 부피)
＝12×12×3×12＝5184(cm³)
(물이 잠긴 직육면체의 부피)
＝9×9×12＝972(cm³)
(물통에 넣은 물의 부피)
＝5184－972＝4212(cm³) ➡ 4212 mL

5. $12 \times 12 \times 3.14 \times 25 - 5 \times 5 \times 3.14 \times 8$
$= 11304 - 628 = 10676 (\text{cm}^3)$

6. (큰 원의 원주) $= 251.2 \div 4 = 62.8 (\text{cm})$
(큰 원의 반지름) $= 62.8 \div 3.14 \div 2$
$\qquad\qquad = 10 (\text{cm})$
(한 밑면의 넓이)
$= 10 \times 10 \times 3.14 - 4 \times 4 \times 3.14$
$= 263.76 (\text{cm}^2)$
(옆면의 넓이) $= 62.8 \times 8 + 4 \times 2 \times 3.14 \times 8$
$\qquad\qquad = 703.36 (\text{cm}^2)$
(입체도형의 겉넓이) $= 263.76 \times 2 + 703.36$
$\qquad\qquad\qquad = 1230.88 (\text{cm}^2)$

8. 도형의 직선 이동

개념 익히기
page. 79

1. 5초	**2.** 9 cm²
3. 15 cm²	**4.** 10초부터 13초까지
5. 6초	**6.** 8 cm²
7. 11초 후 37.5 cm²	

1. $5 \div 1 = 5 (\text{초})$

2. $(8 - 5) \times 3 = 9 (\text{cm}^2)$

3. $5 \times 3 = 15 (\text{cm}^2)$

4. 처음 : $5 + 5 = 10 (\text{초})$
마지막 : $5 + 8 = 13 (\text{초})$

5. $12 \div 2 = 6 (\text{초})$

6. 8초가 지났을 때 겹치는 부분의 넓이 :
$4 \times 4 \div 2 = 8 (\text{cm}^2)$

7.
• $(12 + 10) \div 2 = 11 (\text{초})$
• $(5 + 10) \times 5 \div 2$
$\qquad = 37.5 (\text{cm}^2)$

동메달 따기

1. 18초 후	**2.** 20초 후
3. 36 cm², 2초 동안	**4.** 9초 후
5. 9.5초 후, 12.5초 후	
6. 28 cm²	**7.** 5초 후
8. 25 cm²	**9.** 28 cm²
10. 2 cm²	**11.** 10초 후
12. 8초 후, 13.5초 후	

1.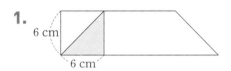

$6 \times 6 \div 2 = 18 (\text{cm}^2)$에서 $30 + 6 = 36 (\text{cm})$를 이동했을 때이므로 $36 \div 2 = 18 (\text{초})$ 후입니다.

2.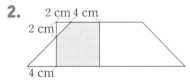

$6 \times 6 - 2 \times 2 \div 2 = 34 (\text{cm}^2)$에서 이동한 거리는 $30 + 4 + 6 = 40 (\text{cm})$이므로 걸린 시간은 $40 \div 2 = 20 (\text{초})$입니다.

3.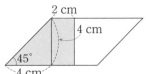

(가장 넓은 넓이) $= 6 \times 6 = 36 (\text{cm}^2)$
(지속되는 시간) $= (22 - 6 - 6 - 6) \div 2$
$\qquad\qquad = 2 (\text{초})$

4. 평행사변형의 넓이는 $8 \times 4 = 32 (\text{cm}^2)$이므로
평행사변형의 넓이의 $\frac{1}{2}$은
$32 \times \frac{1}{2} = 16 (\text{cm}^2)$입니다.

$4 \times 4 \div 2 + 4 \times 2 = 16 (\text{cm}^2)$ 이므로
직사각형이 움직인 거리는
$12 + 4 + 2 = 18 (\text{cm})$ 입니다.
따라서 걸린 시간은 $18 \div 2 = 9(초)$입니다.

5.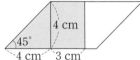

$4 \times 4 \div 2 + 4 \times 3 = 20 (\text{cm}^2)$
$(12 + 4 + 3) \div 2 = 9.5(초)$

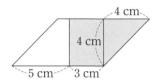

$4 \times 3 + 4 \times 4 \div 2 = 20 (\text{cm}^2)$
$(8 + 12 + 5) \div 2 = 12.5(초)$

6.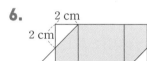

$8 \times 4 - (2 \times 2 \div 2) \times 2 = 28 (\text{cm}^2)$

7. 오른쪽 삼각형을 고정시키고 왼쪽 삼각형을 1초에 2 cm씩 가는 빠르기로 움직이는 것으로 생각합니다.
따라서 왼쪽 삼각형이 10 cm 움직인 셈이 되므로 $10 \div 2 = 5(초)$ 후입니다.

8. 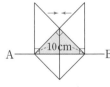 대각선의 길이가 10 cm인 정사각형의 넓이의 $\frac{1}{2}$에 해당하므로
$10 \times 10 \div 2 \div 2$
$= 25 (\text{cm}^2)$입니다.

9. 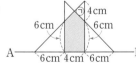 8초 동안 움직인 거리는
$2 \times 8 = 16 (\text{cm})$이므로 왼쪽 그림과 같아집니다.

따라서 겹치는 부분의 넓이는 사다리꼴의 넓이에서 삼각형 ㉠의 넓이를 뺀 것과 같습니다.

그러므로
$(6 + 10) \times 4 \div 2 - 4 \times 4 \div 2 \div 2 = 28 (\text{cm}^2)$
입니다.

10. 직사각형 ABCD는 $6.5 \times 2 = 13 (\text{cm})$ 움직이므로 다음 그림과 같아집니다.

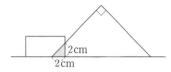

따라서 겹치는 부분의 넓이는
$2 \times 2 \div 2 = 2 (\text{cm}^2)$입니다.

11. 다음 그림과 같은 경우에 겹치는 부분의 넓이는 처음으로 최대가 됩니다.

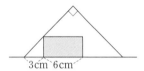

따라서 $(11 + 9) \div 2 = 10(초)$ 후입니다.

12. 다음 그림의 ㉮, ㉯와 같이 두 가지 경우입니다.

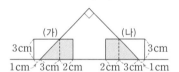

따라서 $(11 + 5) \div 2 = 8(초)$ 후와
$(11 + 15 + 1) \div 2 = 13.5(초)$ 후입니다.

정답따기 page. 84~85

1. 0.5 cm **2.** 20
3. ㉡ 8 ㉢ 20 **4.** 1.5 cm
5. 12 **6.** 10.8

1. 28초 동안 $10 + 4 = 14 (\text{cm})$를 이동했으므로 1초에 $14 \div 28 = 0.5 (\text{cm})$씩 움직였습니다.

2. 겹치는 부분의 넓이가 최대가 되는 때이므로
$4 \times 5 = 20 (cm^2)$입니다.

3. 겹치는 부분의 넓이는 ㉡에서 최대가 되며, ㉢ 이후부터 감소합니다.
따라서 ㉡은 $4 \div 0.5 = 8$, ㉢은 $10 \div 0.5 = 20$ 입니다.

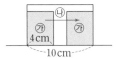

4. 두 도형이 출발하여 6초 후부터 겹치기 시작하므로 두 도형의 속력의 합은 매초
$15 \div 6 = 2.5 (cm)$입니다.
따라서 도형 B의 속력은 매초
$2.5 - 1 = 1.5 (cm)$입니다.

5. 겹치기 시작하여 완전히 빠져나오기까지
$18 - 6 = 12$(초)가 걸리고, 이 때 움직인 거리는 $12 \times 2.5 = 30 (cm)$입니다.
따라서 $18 + \square = 30$에서 $\square = 12$입니다.

6. 겹치는 부분의 넓이가 처음으로 최대가 되는 것은 출발하여 $(12 + 15) \div 2.5 = 10.8$(초) 후입니다.
따라서 ㉠은 10.8입니다.

 **금메달따기** page. **86~87**

1. 3 cm	**2.** 18 cm²
3. 풀이 참조	**4.** 8 cm²
5. 40 cm²	**6.** 16초, 48 cm²

1. 그래프에서 4초 후 겹치는 부분의 넓이는
$24 cm^2$이므로 매초 $24 \div 4 = 6 (cm^2)$씩 겹칩니다.
따라서 세로의 길이는 $6 \div 2 = 3 (cm)$입니다.

2. 점 D는 $2 \times 10 = 20 (cm)$ 움직인 셈이므로 다음 그림과 같습니다.

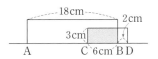

따라서 겹치는 부분의 넓이는
$6 \times 3 = 18 (cm^2)$입니다.

3.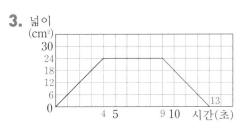

4초일 때 겹치는 부분의 넓이는 최대가 되고, 그 후 $(18 - 8) \div 2 = 5$(초) 동안 넓이의 변화는 없으며, 그 후 다시 넓이는 감소합니다.

4.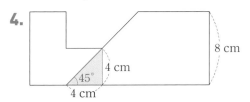

움직이기 시작하여 10초가 되었을 때는
$2 \times 10 = 20 (cm)$를 움직였습니다.
따라서 겹친 부분의 넓이는
$4 \times 4 \div 2 = 8 (cm^2)$입니다.

5.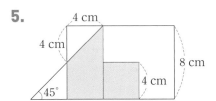

움직이기 시작하여 14초가 되었을 때는
$2 \times 14 = 28 (cm)$를 움직였습니다.
(겹친 부분의 넓이)$= 4 \times 4 + 4 \times 8 - 4 \times 4 \div 2$
$= 40 (cm^2)$

6.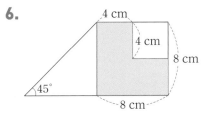

(걸린 시간)$= (16 + 16) \div 2 = 16$(초)
(겹친 부분의 넓이)$= 8 \times 8 - 4 \times 4$
$= 48 (cm^2)$

9. 도형의 회전 이동

개념 익히기

page. 89

1. 60, 120, 9, 120, 36

2. 풀이 참조　　　**3.** 18.84 cm

4. 5, 3, 5, 3, 4, 4, 4, 90, 113.6

5. 170.24 cm²

2.

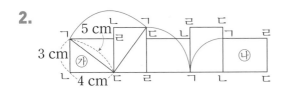

3. $5 \times 2 \times 3.14 \times \dfrac{90}{360} + 4 \times 2 \times 3.14 \times \dfrac{90}{360}$

$\qquad + 3 \times 2 \times 3.14 \times \dfrac{90}{360}$

$\quad = (5 + 4 + 3) \times 2 \times 3.14 \times \dfrac{90}{360}$

$\quad = 18.84 \text{(cm)}$

5.

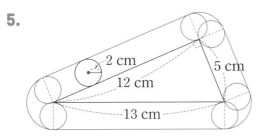

원이 지나간 부분의 넓이는 직사각형 3개와 부채꼴 3개의 넓이의 합으로 구할 수 있습니다.
부채꼴 3개의 중심각의 합은 360°이므로 부채꼴 3개의 합은 원의 넓이와 같습니다.

$(12 + 5 + 13) \times 4 + 4 \times 4 \times 3.14$

$= 120 + 50.24 = 170.24 \text{(cm}^2)$

동매답 따기

page. 90-93

1. 39 cm　　　　　**2.** 37.68 cm

3. 75.36 cm　　　　**4.** 91 cm

5. 910 cm²　　　　　**6.** 91.4 cm

7. 914 cm²　　　　　**8.** 91.4 cm²

9. 914 cm²

1. 점 ㄴ이 오른쪽 그림과 같이 움직입니다.

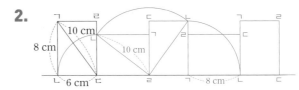

(각 ㉮)
$= 180° - 30°$
$= 150°$

$6 \times 2 \times 3 \times \dfrac{90}{360} + 12 \times 2 \times 3 \times \dfrac{150}{360}$
$= 39 \text{(cm)}$

2.

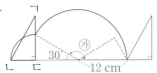

점 ㄴ이 움직인 거리는 부채꼴 ㄴㄷㄴ, 부채꼴 ㄴㄹㄴ, 부채꼴 ㄴㄱㄴ의 호의 길이의 합과 같습니다.

$6 \times 2 \times 3.14 \times \dfrac{1}{4} + 10 \times 2 \times 3.14 \times \dfrac{1}{4}$

$\qquad + 8 \times 2 \times 3.14 \times \dfrac{1}{4}$

$= (3 + 5 + 4) \times 3.14 = 37.68 \text{(cm)}$

3. 직사각형을 1바퀴 굴렸을 때 각각의 점이 움직인 거리는 같습니다.
점 ㄴ이 움직인 거리가 37.68 cm이므로 점 ㄱ과 점 ㄹ이 움직인 거리의 합은
$37.68 \times 2 = 75.36 \text{(cm)}$입니다.

4.

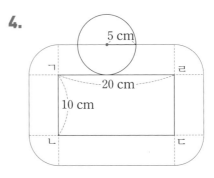

직선 이동을 한 거리는 직사각형의 네 변의 길

이와 같고 회전 이동을 한 거리는 반지름이 5 cm인 원의 원주와 같습니다.
➡ $20 \times 2 + 10 \times 2 + 5 \times 2 \times 3.1 = 91$(cm)

5.

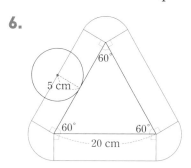

원이 지나간 넓이는 직사각형 4개의 넓이의 합과 부채꼴 4개의 넓이의 합과 같습니다.
➡ $10 \times 20 \times 2 + 10 \times 10 \times 2$
$\qquad + 10 \times 10 \times 3.1 \times \dfrac{1}{4} \times 4 = 910$(cm²)

6.

원의 중심이 직선 이동을 한 거리는 삼각형의 세 변의 길이의 합과 같고 회전 이동을 한 거리는 반지름이 5 cm인 원의 원주와 같습니다.
➡ $20 \times 3 + 5 \times 2 \times 3.14 = 91.4$(cm)

7.

원이 지나간 넓이는 직사각형 3개의 넓이의 합과 부채꼴 3개의 넓이의 합과 같습니다.

부채꼴 3개의 넓이의 합은 반지름이 10 cm인 원의 넓이와 같습니다.
➡ $20 \times 10 \times 3 + 10 \times 10 \times 3.14 = 914$(cm²)

8.

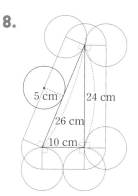

삼각형의 세 각의 크기의 합은 180°이므로 원의 중심이 회전 이동을 한 중심각의 합은
$360° \times 3 - 90° \times 6 - 180° = 360°$입니다.
따라서 원의 중심이 이동한 거리는
$(26 + 24 + 10) + 5 \times 2 \times 3.14 = 91.4$(cm)
입니다.

9.

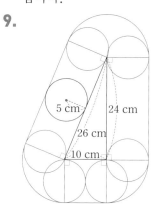

원이 지나간 부분의 넓이는 직사각형 3개의 넓이와 부채꼴 3개의 넓이의 합과 같습니다.
부채꼴 3개의 넓이의 합은 반지름이 10 cm인 원의 넓이와 같으므로 원이 지나간 부분의 넓이는
$(26 + 24 + 10) \times 10 + 10 \times 10 \times 3.14$
$= 914$(cm²)입니다.

page. 94~95

| **1.** 111.4 cm | **2.** 62.8 cm |
| **3.** 57 cm | **4.** 248 cm² |

1.

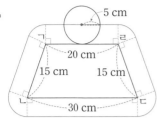

원의 중심이 지나간 거리는 직선 이동과 회전 이동의 거리의 합입니다.

회전 이동한 부채꼴의 중심각의 합은 $360°×4-360°-90°×8=360°$이므로 원의 중심이 움직인 거리는

$(20+15+30+15)+5×2×3.14$
$=111.4(cm)$입니다.

2.

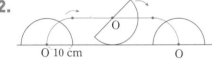

원의 중심이 이동한 거리는 회전 이동과 직선 이동의 거리의 합입니다.

회전 이동한 거리는 $\frac{1}{4}$ 원의 호의 길이의 2배이고 직선 이동한 거리는 $\frac{1}{2}$ 원의 호의 길이와 같으므로 전체 이동 거리는 반지름이 10 cm인 원의 원주와 같습니다.

➡ $10×2×3.14=62.8(cm)$

3.

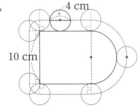

(원의 중심이 움직인 거리)
$=$(직선 거리)$+$(곡선 거리)
(직선 거리)$=10×3=30(cm)$
(곡선 거리)$=4×3×\frac{1}{4}×2+14×3×\frac{1}{2}$
$\qquad\qquad=(2+7)×3=9×3=27(cm)$
➡ $30+27=57(cm)$

4. ㉮ 부분을 ㉯ 부분으로 이동하여 생각합니다.
구하는 넓이는 반지름이 25 cm인 부채꼴 ㄱㄷㄹ
과 반지름이 15 cm인 부채꼴 ㅁㄷㅂ의 넓이의 차와 같습니다.

$(25×25-15×15)×3.1×\frac{72}{360}$
$=248(cm^2)$

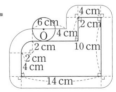 page. 96~97

1. 58.84 cm	**2.** 18.6 cm
3. 735.5 cm²	**4.** 1683 cm²

1.

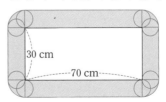

(직선 부분의 길이)
$=6+2+4+10+14+4=40(cm)$
(곡선 부분의 길이)
$=2×2×3.14×\frac{90}{360}×4+4×2×3.14×\frac{1}{4}$
$=4×3.14+2×3.14=18.84(cm)$
따라서 원의 중심 O가 움직인 전체의 거리는
$40+18.84=58.84(cm)$입니다.

2.

$60°+120°+180°=360°$

$3×2×3.1×\frac{360}{360}=18.6(cm)$

3. • 원 ㉠이 지나간 부분의 넓이

$(70+30+70+30) \times 10+10 \times 10 \times 3.14$
$=2314(cm^2)$
- 원 ㉡이 지나간 부분의 넓이

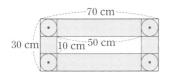

$(70 \times 30-50 \times 10)$
$\quad -(5 \times 5-5 \times 5 \times 3.14 \times \dfrac{1}{4}) \times 4$
$=1600-(5 \times 5 \times 4-5 \times 5 \times 3.14)$
$=1600-21.5=1578.5(cm^2)$
따라서 두 원이 지나간 부분의 넓이의 차는
$2314-1578.5=735.5(cm^2)$입니다.

4.

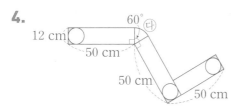

세로의 길이가 12 cm인 3개의 직사각형과 ㉰의 위치에 있는 부채꼴의 넓이의 합에서 색칠한 부분의 넓이를 빼서 구합니다.
$(50 \times 3-12) \times 12=1656(cm^2)$
$12 \times 12 \times 3 \times \dfrac{60}{360}=72(cm^2)$
$(12 \times 12-6 \times 6 \times 3) \div 4 \times 5=45(cm^2)$
$1656+72-45=1683(cm^2)$

10. 경우의 수

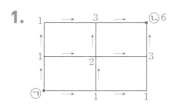 **개념 익히기**   page. 99

1. 6가지	**2.** 6가지
3. 6가지	**4.** 9가지

1.

각각의 꼭짓점까지 가는 방법을 합을 이용하여 구할 수 있습니다.
㉠에서 ㉡까지 가장 가까운 길로 가는 방법은
$3+3=6$(가지)입니다.

2.

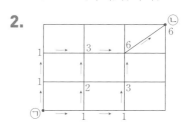

가장 가까운 길로 갈 때 대각선으로 난 길이 있으면 반드시 대각선으로 난 길을 이용해야 합니다.

3.

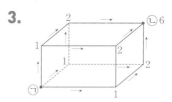

각각의 꼭짓점까지 가는 방법을 합을 이용하여 구할 수 있습니다.
㉠에서 ㉡까지 가장 가까운 거리로 가는 방법은
$2+2+2=6$(가지)입니다.

4.

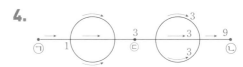

㉠에서 ㉢까지 가는 방법은 3가지입니다.
㉢에서 ㉡까지 가는 방법도 3가지이므로
㉠에서 ㉡까지 가는 방법은 $3 \times 3=9$(가지)입니다.

동메달 따기   page. **100~103**

1. 20가지	**2.** 25가지
3. 15가지	**4.** 4가지
5. 4가지	**6.** 12가지
7. 12가지	**8.** 20가지
9. 36가지	**10.** 8가지
11. 8가지	**12.** 5가지

1.

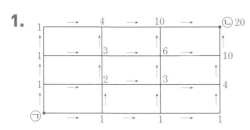

각각의 꼭짓점까지 가는 방법을 합을 이용하여 구할 수 있습니다.

2.

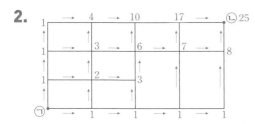

3.

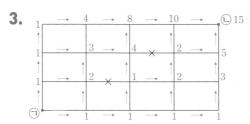

4.

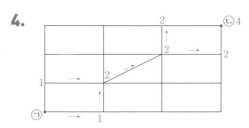

대각선으로 난 길이 있는 경우 대각선으로 난 길을 통과해야 가장 가까운 길로 갈 수 있습니다.

5.

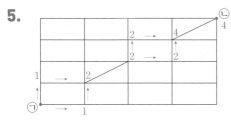

대각선으로 난길 2개를 모두 통과해야 가장 가까운 길로 갈 수 있습니다.

6.

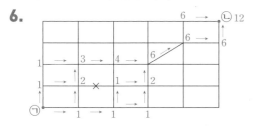

7.

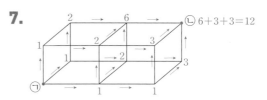

각각의 꼭짓점까지 갈 수 있는 방법을 합을 이용하여 구할 수 있습니다.

8.

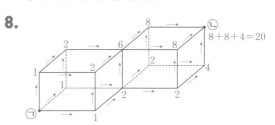

9.

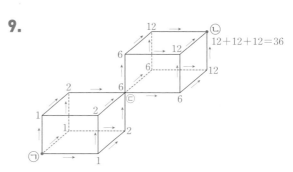

㉠에서 ㉢으로 가는 방법이 6가지이고, ㉢에서 ㉡으로 가는 방법이 6가지이므로 ㉠에서 ㉡까지 가는 방법은 $6 \times 6 = 36$(가지)입니다.

10.

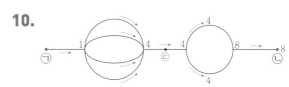

㉠에서 ㉢으로 가는 방법은 4가지이고, ㉢에서 ㉡으로 가는 방법은 2가지이므로
㉠에서 ㉡으로 가는 방법은 $4 \times 2 = 8$(가지)입니다.

11.

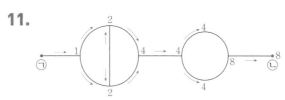

12.

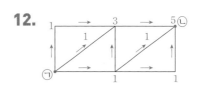

1. 18가지   **2.** 8가지

3. 30가지   **4.** 16가지

1.

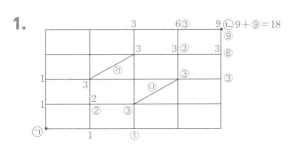

가장 가까운 거리로 가려면 반드시 대각선으로 난 길을 통과해야 합니다.

㉮ 대각선 길을 통과하는 방법이 9가지, ㉯ 대각선 길을 통과하는 방법이 ⑨가지이므로 모두 9＋9＝18(가지)입니다.

2.

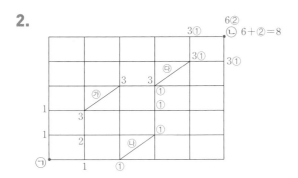

대각선 길이 여러 개일 때는 최대한 대각선 길을 많이 통과한 거리가 짧습니다.

대각선 길을 ㉮와 ㉰를 통과한 방법은 6가지, 대각선 길 ㉯와 ㉰를 통과한 방법은 2가지이므로 ㉠에서 ㉡으로 가는 방법은 6＋2＝8(가지) 입니다.

3.

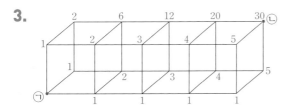

각 꼭짓점까지 갈 수 있는 방법의 합을 이용하여 구할 수 있습니다.

4.

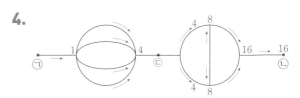

㉠에서 ㉢까지 가는 방법은 4가지이고 ㉢에서 ㉡까지 가는 방법도 4가지이므로 ㉠에서 ㉡까지 가는 방법은 4×4＝16(가지)입니다.

1. 36가지   **2.** 20가지

3. 42가지   **4.** 34가지

1.

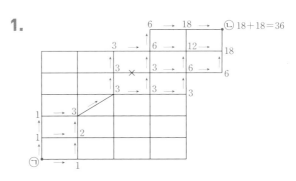

2.

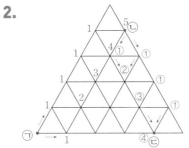

㉠에서 ㉡까지 가는 방법 : 5가지

㉡에서 ㉢까지 가는 방법 : 4가지

㉠에서 ㉡을 지나 ㉢까지 가는 방법 :
5×4＝20(가지)

3.

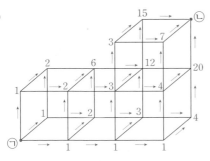

각 꼭짓점까지 갈 수 있는 방법의 합을 이용하여 구할 수 있습니다.

4. ㉮ → ㉯ → ㉰ : $4 \times 2 = 8$(가지)

㉮ → ㉱ → ㉰ : $2 \times 1 = 2$(가지)

㉮ → ㉯ → ㉱ → ㉰ : $4 \times 3 \times 1 = 12$(가지)

㉮ → ㉱ → ㉯ → ㉰ : $2 \times 3 \times 2 = 12$(가지)

따라서 ㉮에서 ㉰까지 갈 수 있는 방법은

$8 + 2 + 12 + 12 = 34$(가지)입니다.

 **총괄 평가** page. **108-111**

1. ①, ⑤	**2.** 15 cm, 12 cm
3. 7 cm	**4.** 81.64 cm
5. ㉠	
6. (1) 208 cm² (2) 198.4 cm²	
7. 660 cm²	**8.** 207.24 cm²
9. 326.56 cm²	**10.** 8배
11. 2826 cm³	**12.** 251.1 cm³
13. 7초	**14.** 52 cm²
15. 37.68 cm	**16.** 24.8 cm
17. 74 cm	**18.** 170.24 cm²
19. 6가지	**20.** 15가지

1. 밑면인 두 원이 합동이고 옆면이 직사각형이어야 합니다.

3. 원기둥의 높이는 17 cm이고, 원뿔의 높이는 24 cm입니다. ➡ $24 - 17 = 7$(cm)

4.

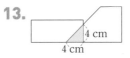

➡ $13 \times 2 \times 3.14 = 81.64$(cm)

6. (1) $16 \times 13 = 208$(cm²)

(2) $8 \times 8 \times 3.1 = 198.4$(cm²)

7. (옆넓이)$= 7 \times 2 \times 3\frac{1}{7} \times 15 = 660$(cm²)

8. (밑면의 반지름)$= 18.84 \div 3.14 \div 2 = 3$(cm)

(한 밑면의 넓이)

$= 3 \times 3 \times 3.14 = 28.26$(cm²)

(옆넓이)$= 18.84 \times 8 = 150.72$(cm²)

(겉넓이)$= 28.26 \times 2 + 150.72$

$= 207.24$(cm²)

9. (옆면의 가로)$= 226.08 \div 9 = 25.12$(cm)

(밑면의 반지름)$= 25.12 \div 3.14 \div 2 = 4$(cm)

(한 밑면의 넓이)$= 4 \times 4 \times 3.14$

$= 50.24$(cm²)

(겉넓이)$= 50.24 \times 2 + 226.08$

$= 326.56$(cm²)

10. (처음 원기둥의 부피)$= 2 \times 2 \times 3 \times 5$

$= 60$(cm³)

(새로 만든 원기둥의 부피)$= 4 \times 4 \times 3 \times 10$

$= 480$(cm³)

➡ $480 \div 60 = 8$(배)

따라서 새로 만든 원기둥의 부피는 처음 원기둥의 부피의 8배가 됩니다.

11. $(8 \times 8 \times 3.14) \times 15 - (2 \times 2 \times 3.14) \times 15$

$= 3014.4 - 188.4 = 2826$(cm³)

12. (입체도형의 부피)$= 4.5 \times 4.5 \times 3.1 \times 8 \times \frac{1}{2}$

$= 251.1$(cm³)

13.

겹친 부분의 넓이가 8 cm²일 때 삼각형이 밑변의 길이가 4 cm이므로 움직인 거리는

$10 + 4 = 14$(cm)이고 이때 걸린 시간은

$14 \div 2 = 7$(초)입니다.

14.

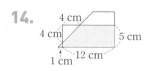

$$12 \times 5 - 4 \times 4 \div 2 = 52(\text{cm}^2)$$

15.

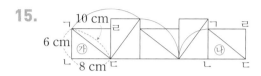

$$\left(10 \times 2 \times \frac{1}{4} + 8 \times 2 \times \frac{1}{4} + 6 \times 2 \times \frac{1}{4}\right) \times 3.14$$
$$= 12 \times 3.14 = 37.68(\text{cm})$$

16.

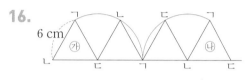

$$6 \times 2 \times 3.1 \times \frac{60}{360} \times 4 = 24.8(\text{cm})$$

17.

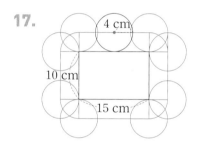

$$(\text{직선 이동 거리}) = 15 \times 2 + 10 \times 2$$
$$= 50(\text{cm})$$

$$(\text{회전 이동 거리}) = 8 \times 3 \times \frac{1}{4} \times 4 = 24(\text{cm})$$

$$(\text{원의 중심이 이동한 거리}) = 50 + 24$$
$$= 74(\text{cm})$$

18.

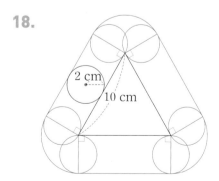

$$(\text{부채꼴의 중심각의 합})$$
$$= 360° \times 3 - 180° - 90° \times 6$$
$$= 360°$$

$$(\text{직선 이동을 한 넓이}) = 10 \times 4 \times 3$$
$$= 120(\text{cm}^2)$$
$$(\text{회전 이동을 한 넓이}) = 4 \times 4 \times 3.14$$
$$= 50.24(\text{cm}^2)$$
$$(\text{원이 지나간 부분의 넓이}) = 120 + 50.24$$
$$= 170.24(\text{cm}^2)$$

19.

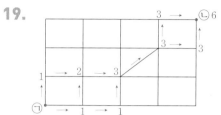

20. $5 \times 3 = 15(\text{가지})$

6 학년이 꼭 ✓ 알아야 한

도형

정답과 풀이